ENCANTADOR
de Cuerpos

Una nueva manera de ver, de ser y de sanar

DR. DAIN HEER

Título original: *Body Whispering*
Derechos de autor © 2021 Dr. Dain Heer
Access Consciousness Publishing
www.acpublishing.com

Encantador de cuerpos
Copyright © 2023 Dr. Dain Heer
ISBN: 978-1-63493-626-2
Access Consciousness Publishing

Arte de portada por: Audrey Denson
Imagen de portada: Alannah Avelin
Diseño interior por: Zoe Norvell
Traducido del inglés por Alba Molteni

GRATITUD

Quizá pienses que tú fuiste quien eligió leer este libro. Estoy muy seguro de que no fue así. Muy posiblemente hay algo mucho más potente al mando aquí: TU CUERPO. Tú, amigo mío, solo seguiste sus pasos.

Por mucho tiempo hemos ignorado la consciencia y la capacidad de nuestros cuerpos. Ahora, están despertando.

Nuestros cuerpos escuchan el llamado de la Tierra y del mundo a nuestro alrededor, y sus susurros se vuelven más fuertes cada día.

Este libro es tu invitación para convertirte en un encantador de cuerpos (para descubrir lo que realmente quiere decir esto tendrás que leer el libro). En este camino, haré lo mejor posible para mostrarte aquello de lo que empecé a ser consciente hace muchos años cuando me di cuenta de que los cuerpos me hablan. Todo el tiempo. En voz muy alta.

Sonará diferente para ti, pero las cuestiones básicas aplican de igual manera. El primer paso es reconocer que sí, los cuerpos hablan, solamente que no en palabras.

Le agradezco a mi cuerpo por mostrarme lo que realmente es posible, y también me disculpo por todo lo que tardé en empezar a escucharlo.

Le agradezco a todos y cada uno de los cuerpos que he tenido el honor y el placer de conocer, en los que he trabajado, con los que he jugado, y de los que he aprendido durante los más de 20 años. En realidad, cada persona que he conocido, cada abrazo y cada sesión que he dado o recibido, han contribuido a este libro.

Por último, quiero agradecerle a Gary Douglas. Conocerlo y darle la primera sesión de aquello que ahora llamo *Síntesis energética del ser*, hace más de 20 años, me presentó las verdaderas capacidades que tenemos disponibles nosotros y nuestros cuerpos juntos.

Sin esa invitación, mi cuerpo y yo quizá nunca nos hubiéramos convertido en los cocreadores que hoy somos.

Gary dice a menudo que todo lo que él ha aprendido, lo aprendió de un caballo. Para mí, cada paso hacia la grandeza ha empezado con el susurro de mi cuerpo.

¿Es ahora el momento de que conozcas a tu cuerpo? ¿En serio?

Venga, aquí vamos.

Y la Tierra (y todos los cuerpos que la habitan) se regocijan.

—Dain

ÍNDICE

INTRODUCCIÓN

Levanta la mano si eres un encantador de cuerpos

Pido esto al inicio de casi todas las clases o talleres que facilito. Algunas personas levantan la mano inmediatamente, otras lo hacen con disimulo. Y algunas otras ni siquiera la levantan.

¿Y tú? ¿Eres un encantador de cuerpos?

¿Algo dentro de ti dijo … *sí*?

Es interesante considerar *cuándo* alguien se convierte en un encantador de cuerpos, o en un sanador, o en un facilitador, según el término que prefieras. ¿Es cuando tienes una consulta? ¿O es cuando te pagan? ¿Es cuando tienes pruebas sólidas y a prueba de fuego de que has sanado, curado o mejorado la vida de alguien?

¿O te conviertes en un encantador de cuerpos cuando eliges reconocer que siempre lo has sido? ¿Y si esa fuera la razón por la que estás aquí ahora, leyendo este libro?

Déjame iniciar dándote la bienvenida de forma adecuada….

¡Bienvenido y hola encantador de cuerpos!

Hola a los que pueden decirlo cómodamente, y hola a los que tienen un atisbo, una chispa de idea de que hay una forma diferente de ser con sus propios cuerpos y con los de los demás.

Hola a todos los que llevan años recorriendo este camino: los practicantes y facilitadores que trabajan con la energía, los masajistas, los practicantes de reiki y los acupunturistas; los médicos que trabajan en la sala de emergencias, los psicólogos, los enfermeros, las personas de primera línea.

Hola a todos y cada uno de ustedes que desean crear un cambio en su propio mundo y en el de los demás.

Estoy muy agradecido de que estén aquí, incluso aunque no piensen que entran en ninguna de las categorías anteriores.

Este libro es muy querido para mí. Los conceptos, las historias, las herramientas y las técnicas que se comparten en estas páginas nacieron de mi propio camino como agente de cambio y están conectadas a él: un feliz viaje de 20 años en el que he facilitado y presenciado un cambio fenomenal en mi propio cuerpo y en los cuerpos de cientos de miles de personas.

Lo que comparto es un paradigma completamente diferente para la sanación, el cambio y la transformación. Lo bello es que puedes usar cualquiera de las herramientas de este libro junto con el entrenamiento o las técnicas que prefieres, y solo acelerarán y expandirán el cambio que puedes crear.

¿Te das cuenta de que iniciar el cambio en el cuerpo de las personas puede ser fácil, sin esfuerzo, fluido y... divertido?

Sabes que puedes adentrarte a un espacio de ser, un espacio donde te das cuenta y recibes información que tienen la capacidad para cambiar y crear mundos enteros? El cambio que se produce frente a tus ojos tiene la sensación de un milagro. Experimentas una intensa exaltación, con un elemento de paz: porque estás haciendo exactamente lo que viniste a hacer.

El espacio de tu ser te pertenece. Tienes la capacidad de ofrecer a otros un cambio sanador solo con que estén en tu presencia.

Si, mientras lees, las ideas o conceptos de este libro (incluso en este instante ¿quizás?) parecen abstractos o son difíciles de entender, debes saber que está bien. No necesitas esforzarte tanto para "captarlo". Lee y disfruta el proceso. Deja que se acomoden las piezas. Recoge lo que funcione para ti, deja lo que no. Experimenta, juega. Mantente abierto, y tu vida y tu clínica quizá se vuelvan más maleables, dinámicas y gozosas.

Así es como fue para mí.

Hace veinte años, era un quiropráctico viviendo en uno de los lugares más prósperos y bellos del mundo, y estaba comprometido con una mujer que parecía perfecta para mí. A primera vista, lo tenía todo. En la práctica, era un desastre: infeliz y completamente desconectado con quien era en realidad y lo que realmente deseaba.

A pesar de estar a punto de abrir mi segunda clínica de quiropráctico, en el fondo sabía que no estaba creando el tipo de cambio que me había inspirado a convertirme en médico en primer lugar. No me sentía pleno y estaba desesperado, tan desesperado que había puesto una fecha para quitarme la vida, a menos que las cosas cambiaran drásticamente. Y cambiaron: descubrí las herramientas de Access Consciousness, y accedí a mis verdaderas capacidades siendo *yo*. Pude soltar tanto de lo que me había limitado, incluyendo la relación que parecía tan acertada para mí pero que estaba lejos de serlo. Descubrí mi verdadera potencia como creador de mi propia vida, e inevitablemente, gloriosamente, todo esto también cambió mi forma de trabajar con el cuerpo de las personas.

En muy poco tiempo de usar las herramientas de Access Consciousness, empecé a notar los milagros que siempre había querido crear en mi clínica como quiropráctico. Desarrollé una modalidad llamada *Síntesis energética del ser* (ESB por sus siglas en inglés) mientras trabajaba con Gary Douglas, el fundador de Access, que todavía uso y enseño a otros a usar hoy en día. Me convertí en el cocreador del movimiento de Access Consciousness, y mi vida nunca ha vuelto a ser la misma, de la mejor manera posible. Cada día mi vida continúa cambiando, evolucionando y expandiéndose de maneras increíbles. Así que, no digo esto a la ligera: las herramientas de Access Consciousness no solo me cambiaron la vida, la *salvaron*.

Si lo permites, también podrían tener un impacto transformador en tu vida y en tu clínica.

¿Sabes que recorres un nuevo camino?

Es posible que las herramientas en estas páginas no sean nada como lo que hayas encontrado antes. Al leer, habrá ideas y conceptos que te hablen inmediatamente y te encontrarás asintiendo efusivamente o incluso diciendo "¡Sí, totalmente!", en voz alta.

Lee esos una y otra vez.

Quizá también haya conceptos que analizarás minuciosamente y dirás, "Puf ¡claro que no!". También *lee* esos de nuevo. ¿Por qué? Porque hay una posibilidad de que, dentro de esos conceptos de los que te quieres separar, haya un regalo para ti. Alguna gema o consciencia de lo que puedes cambiar para hacer tu vida y tu práctica mucho más dinámicas de lo que hayan sido antes.

Gracias por estar dispuesto a ser y a explorar algo diferente. Y cuando digo diferente, me refiero a *totalmente* diferente. Estás abriendo las puertas a un espacio al que muy pocas personas han estado dispuestas a entrar. Estás a la vanguardia de la sanación, participando en conversaciones que mantienen muy pocas personas en el planeta. ¡Hasta el momento!

Empezaremos nuestro viaje contigo: al desarrollar una comunión con tu propio cuerpo y al entender el regalo que es. Nuestros cuerpos no existen aislados. Al crear una mayor comunión contigo y con tu cuerpo, también crearás una mayor conexión con el cuerpo de los demás. No hay una forma acertada o equivocada de ser un encantador de cuerpos. Es algo que ya eres. Si acaso, sólo nos deshacemos de dónde no has sido capaz de serlo… todavía.

Desafiaremos las perspectivas tradicionales de cómo sanar a las personas, y revelaremos lo que crea las enfermedades, el dolor y los achaques. Veremos el rol de la presencia, del caos y de las preguntas en la sanación. Exploraremos las fronteras del trabajo con las personas, y las de la consciencia. Exploraremos las posibilidades que otras personas pudieran llamar fuera de lo común, diferentes o incluso raras. Y por mí eso está bien. Cuando experimentes el cambio por ti mismo, quizá descubras que también estás bien con lo raro.

Nadie es superior a ti. No hay ninguna razón por la que no puedas descubrir algo en estas páginas y más allá de lo que aún no conozco. Es un esfuerzo en conjunto glorioso, así que, gracias por acompañarme. Estoy muy entusiasmado de ver el cambio que *tú* crearás.

¿Empezamos?

PARTE
UNO

UNA NUEVA MANERA DE VER

¿Y si pudieras tener una conexión instantánea con cada molécula en el universo?

—

¿Y si tuvieras un sistema de guía interior, que una vez que lo sintonizas, puede llevarte a las mejores elecciones para tu vida y tu vivir?

—

¿Es momento de explorar el concepto de la consciencia, y de vivir desde un espacio de regalar y recibir sin juicio?

—

Estos primeros dos capítulos forman el fundamento para todo lo demás; solo se requiere que leas esto con los ojos y la mente abierta.

CAPÍTULO

1

ENERGÍA

Reaprender tu primer idioma

Empecemos por tomarnos un momento para pensar en las muchas y variadas formas en que nos comunicamos entre nosotros en este bello planeta en el que actualmente habitamos.

¿Qué tipo de métodos de comunicación se te ocurren? ¿Cómo nos decimos quiénes somos, qué necesitamos, a dónde vamos, o dónde hemos estado?

Utilizamos nuestra voz para hablar, en persona, por teléfono, algunas veces por video conferencia.

Escribimos, en papel y electrónicamente. Enviamos mensajes instantáneos, compartimos estados en línea, escribimos correos electrónicos. Escribimos cartas a mano si nos queremos sentir tradicionales, o escribimos libros si tenemos algo grande que compartir. Me encanta el hecho de que haya escrito este libro hace varios meses, quizá incluso hace años si es que lo estás leyendo un poco después, y aquí estás: leyéndome a través del tiempo. Podrías estar leyendo estas palabras en una hoja de papel o en una pantalla; incluso podrías estar escuchando el audiolibro.

Algunos de nosotros dibujamos, ilustramos o hacemos música para decirles a otros quiénes somos y lo que nos importa.

Cuando estamos cara a cara, no solamente utilizamos el discurso, también utilizamos el lenguaje corporal: abrimos nuestros ojos cuando algo nos sorprende, o los subimos cuando algo nos frustra. Cruzamos nuestros brazos cuando estamos de malas, o los lanzamos hacia arriba cuando algo nos entusiasma.

Podríamos decir que la comunicación verbal, la escrita y la física ¡se han convertido en un arte!

¿Y si hubiera otra manera de hablar, de conversar y de comunicarse?

¿Y si hubiera mucho más a nuestra disposición de lo que creemos?

¿Y si acceder a ello puede cambiar nuestra vida de formas fenomenales?

La energía es el primer lenguaje de tu cuerpo, y es *tu* primer lenguaje.

¿Has entrado a una habitación y has sabido, en un instante que quien estaba en ella estaba enojado contigo? Quizá era tu pareja, tu mamá, tu hermana, tu jefe. Incluso antes de que dijeran algo o de que hicieran contacto visual contigo, incluso en el instante de que tocaras la manija de la puerta o de que entraras a la habitación, simplemente sabías que te tenían resentimiento o te juzgaban.

¿Cómo? Porque lo sentiste, lo percibiste, lo *supiste* y fue su energía la que te lo comunicó.

Aquí hay otra manera en que la energía nos habla. ¿Tienes alguien en tu vida que está muy en sintonía contigo, alguien que te entiende, que simplemente por decir "hola" por el teléfono saben si tienes alguna dificultad en la vida? Quizá tus palabras digan que estás bien, pero tu amigo escucha algo más; está escuchando tu energía.

Es rápido, instantáneo, natural... y puedes tener esa conexión instantánea, ese idioma en común, con *todo* en el universo. Con todo.

Incluso, o *especialmente*, con tu cuerpo. Es solo cuestión de que elijas sintonizarlo y practicar esta habilidad que hasta ahora desconocías.

Empieza contigo.

Ligero o pesado

Si es la primera vez que piensas acerca de la energía de esta forma, el primer paso es empezar a notar tu propia energía. Una vez que empiezas a darte cuenta de ella, te preguntarás cómo has podido pasarla por alto.

Déjame preguntarte esto: De manera general, cuando algo se siente bien para ti, cuando estás entusiasmado, o aliviado, o contento, o en paz: ¿Te sientes *ligero o pesado*?

Ligero ¿cierto?

Cuando estás preocupado por algo, o asustado, o triste, o ansioso: ¿Te sientes *ligero o pesado*?

Supongo que pesado.

Otra forma de verlo podría ser, cuando estás feliz ¿percibes que tu energía se expande? Y cuando estás triste, ¿sientes que tu energía se contrae o tal vez se comprime?

Lo que busco es que sepas cuando algo es acertado para ti, o mejor dicho, es *verdad para ti*, cuando tienes una sensación de expansión, de ligereza en torno a ello. Cuando algo no es adecuado para ti, o es una mentira para ti, te sientes contraído, o pesado.

La sensación de pesado y ligero es diferente para cada uno, así que no te puedo decir exactamente cómo se siente, pero puedes saber cómo es para ti.

Algunas personas describen lo que es ligero para ellas como una explosión de gozo, o una tranquila sonrisa, o un sentimiento de crecimiento y posibilidad. Pesado quizá se sienta como que estás cansado, o como un peso muerto, o confinado.

Verás, pesado o ligero es tu sistema de guía interior. Primero hay que saber cómo funciona el sistema de guía notándolo. Cuando estás con alguien con quien no haces clic, nótalo. Cuando estás con alguien con quien te sientes relajado, nótalo. Cuando estás a punto de hacer algo que te encanta, nótalo.

Cuando estés a punto de hacer algo que te da miedo, nótalo, y esto quizá te sorprenda. A menudo te puedes sentir ligero incluso cuando estás a punto de hacer algo aterrador. ¿Por qué? Porque energéticamente, el entusiasmo y el miedo se sienten prácticamente igual. Si estás ligero, puedes estar seguro de que lo que piensas que es miedo, es entusiasmo en realidad. ¡La energía ha hablado!

Mi consejo es que no pienses demasiado al respecto, solo empieza a aprovechar la increíble consciencia interior que tienes de forma natural.

¿SABES...?

Cada molécula en el universo tiene consciencia: cada planta, cada gota de lluvia, cada ráfaga de viento. Cada animal, cada árbol, cada gema, cada roca. Cada edificio, cada auto, cada maquinaria. Cada persona, cada cosa.

Cada *cuerpo*.

Mi cuerpo, tu cuerpo, los cuerpos con los que trabajas, los cuerpos que conoces: todos tienen consciencia.

Este no es un descubrimiento nuevo, Einstein reconoció la consciencia de cada molécula y de cada elemento del universo. Y, aquí está la parte clave, reconoció que esas moléculas conscientes se comunican entre ellas, *todo el tiempo*.

¿Y cómo? Con tu primer idioma. El lenguaje que es más sofisticado y más instantáneo que las palabras: la energía.

¿Es posible que tu cuerpo haya intentado comunicarse contigo durante mucho, mucho tiempo?

¿Y qué pasaría si empezaras a escucharlo?

LA CONSCIENCIA

La clave para crear el cambio

La consciencia es un concepto que puede parecer difícil de entender, y a la vez fácil de conocer.

¡Sólo se complica un poco cuando tratamos de mentalizarla! La mente se involucra demasiado y busca el significado y el sentido. El asunto acerca de la mente humana es que tiene esta necesidad excesiva de relacionar conceptos nuevos con otros conceptos que ya entiende y con los que está familiarizada, para entonces poder agregar este nuevo concepto a la caja etiquetada "cosas que entiendo perfectamente".

La forma en que describo la consciencia puede ser diferente a la forma en la que estás acostumbrado. Simplemente lee con una mente abierta, y al leer, escucha tu sistema de guía interior.

Nota si de lo que estoy hablando te abre a nuevas posibilidades, y si percibes si es ligero o pesado.

En la consciencia, todo existe y nada se juzga

Ser consciente es una elección, en lugar de un estatus que consigues, o un nivel que alcanzas. Ya está en ti, a tu alrededor, y disponible para ti. Quizá sea que hasta no lo podías elegir, porque no te dabas cuenta de que era una posibilidad.

Se trata de la unidad. Se trata de la permisión en cada cosa, con todos, con cada elección, y de nunca juzgar nada de eso.

En la consciencia no hay separación. Recibes todo, lo bueno, lo malo, lo feo. Solo que no necesitas categorizarlos así; en la consciencia, las polaridades de lo bueno y lo malo ya no son la fuerza motriz de tu vida y de tu vivir.

La trampa perfecta

Uno de los mitos de esta realidad es que se necesita juzgar para crear un mundo funcional. Nos han enseñado que debemos juzgar para que esta realidad funcione: El juicio es la forma en que abordamos todo, desde las relaciones al trabajo, la cultura, la espiritualidad, la salud y los cuerpos. La mayoría de nosotros pasamos toda nuestra vida convencidos de que estamos mal y al mismo tiempo tratamos desesperadamente de estar bien o de convencernos de que tenemos la razón.

Se convierte en la trampa perfecta.

¿Y si nada de eso fuera verdadero o real? ¿Y si el juicio fuera una de las limitaciones más grandes que existen? ¿Y si cada vez que decides que algo es bueno, malo, acertado o equivocado, te limitas, limitas el asunto o la persona que juzgas, limitas lo que puedes recibir, y haces tu mundo (y el mundo) más pequeño?

Algunos dicen que el camino hacia la libertad es ver todo y a todos como buenos. Entiendo esa idea; la subscribí durante mucho tiempo. Viene de un lugar de tratar de crear un mundo más amable, más gentil, más grandioso. Pero crea un gran problema: Para ver todo como bueno, tenemos que cerrar nuestra consciencia de todo lo que no entra en ese molde. ¡Y eso es un montón de cosas!

La consciencia, por otro lado, incluye todo y a todos; no juzga a nada ni a nadie. Si realmente quieres ser consciente, tienes que estar dispuesto a ver lo bueno, lo malo y lo feo que alguien, o tú mismo, está eligiendo en este momento, así como la capacidad que tienen todos de elegir algo diferente. Y ver todo eso sin punto de vista ni agenda.

Si nuestros padres y maestros realmente quisieran enseñarnos a navegar el mundo más fácilmente, nos podrían haber preguntado: *"¿De qué estás siendo consciente en esta situación? ¿Qué creará esto si lo eliges?"*.

De esa forma, podríamos haber aprendido a usar nuestra consciencia para crear lo que nos gustaría, en lugar de usar nuestro juicio para concluir qué evitar.

El enunciado aclarador: el acelerador del cambio

¿Estás listo para que te presente una de las herramientas más dinámicas, raras y locas de Access Consciousness?

Lo llamamos el **enunciado aclarador**, que en realidad es un nombre muy directo y literal para ello, porque tiene la capacidad de limpiar todo lo que te bloquea, te limita y te aleja de tu verdadera grandeza y de tu estado natural.

¿Cuál es tu estado natural? Es uno de posibilidades, de potencia, de felicidad y de facilidad, y el enunciado aclarador te lleva a esos lugares más rápido que cualquier otra cosa que conozca.

Aquí está:

> *Acertado y equivocado, bueno y malo, POD y POC, todos los 9, cortos, chicos, POVAD y más allás.*

Si es la primera vez que ves esas palabras, es muy probable que tu mente haya dicho "eh... ¿qué?". ¡Y eso está bien! No necesitas saber o entender cognitivamente lo que quieren decir estas palabras (increíble ¿verdad?) para que creen un cambio en tu energía y en tu vida.

Pero sé cómo a la mente le gustan las respuestas, y si deseas un desglose de estas palabras y frases, están disponibles al final del libro, puedes dirigirte ahí ahora si quieres.

¿Te fuiste? ¿Ya regresaste? Genial.

La manera más rápida de entender el enunciado aclarador es ver cómo funciona en acción, lo que haremos en un segundo. Pero antes, algo que debes saber es que el enunciado aclarador siempre sigue a una pregunta, porque las preguntas hacen que surjan energías *y* tienen la brillante capacidad de abrir nuestros mundos a la posibilidad del cambio.

Así que, aquí hay una pregunta para ti:

¿Qué te has creído como verdadero acerca de ti, que en realidad no es verdad y que te mantiene pequeño?

Nota qué energía surge: Ese es el primer paso. Capta la energía de la pregunta sin buscar una respuesta ni conclusiones definitivas.

La siguiente parte del proceso involucra hacer otra pregunta, usualmente algo del estilo de: ¿Estarías dispuesto a destruir y descrear todo eso? En otras palabras, estás dispuesto a renunciar a lo que te está limitando, todos los sentimientos, los pensamientos, las emociones, los juicios, las conclusiones y las computaciones, y todo lo demás que has establecido que te impide ser tan grande, tan audaz y tan bello como verdaderamente eres?

En esencia, lo que hacemos es pavimentar el camino para el enunciado aclarador:

> *Acertado y equivocado, bueno y malo, POD y POC, todos los 9, cortos, chicos, POVAD y más allás.*

Porque el enunciado aclarador es lo que destruye y descrea lo que haya surgido cuando hicimos la primera pregunta.

Nota las palabras en la pregunta justo antes del enunciado aclarador: *Estás dispuesto ahora* — esta es la parte clave. Para que el enunciado aclarador haga lo suyo tienes que estar *dispuesto* a *permitir* que haga lo suyo. TÚ tienes que elegir para que algo cambie. Algunas veces estarás dispuesto y listo, y destruirás por completo todos los muros, las barreras, las restricciones y las limitaciones que surgieron, y otras veces tendrás que hacer la pregunta y el enunciado aclarador un par de docenas de veces para que empieces a sentir el espacio y la libertad que implica.

 Una pequeña nota: No trates de saberlo o "captarlo" o sentirte muy definitivo al respecto. Cuando preguntas si estás dispuesto a destruir y descrear, te preguntas a TI, y es tu elección, y eso va más allá de tu mente cognitiva. Es una elección hecha por tu ser.

Aquí está la versión completa del ejemplo que acabamos de ver. Tal vez quieras ejecutarlo en su totalidad y notar lo que sucede con la energía que sintonices.

> *¿Qué te has creído como verdadero y real acerca de ti, que no lo es, que te mantiene pequeño?*
>
> *¿Destruyes y descreas todo eso?* **Acertado y equivocado, bueno y malo, POD y POC, todos los 9, cortos, chicos, POVAD y más allás.**

Mi sugerencia es que juegues con el enunciado aclarador cuando surja a lo largo del libro. Porque ¿qué tal que funciona? ¿Qué tal que crea cambios y transformaciones en tu mundo, en tu cuerpo y en tu ser, que ni siquiera imaginaste que pudieran ser posibles fácilmente, ágilmente y sin esfuerzo?

Quizá te estés preguntando . . .

¿Tengo que usar el enunciado aclarador para poder crear cambio?

No necesariamente. Velo como un acelerador, una herramienta que puede abrir tu mundo y expandir tus horizontes. Sin él, todavía podrás entender que algunos de tus puntos de vista te han estado deteniendo, pero con él puedes cambiarlos, y puedes cambiarlos en un santiamén.

¿Tengo que decir las palabras en voz alta?

El enunciado aclarador funciona ya sea que lo digas en voz alta como en voz baja, o en silencio en tu cabeza. También funciona si usas la versión corta: "POD y POC", que significa punto de destrucción y punto de creación, por sus siglas en inglés.

Perdón, ¿Qué? ¿Punto de creación y punto de destrucción?

Así le pedimos a la energía que vuelva a su lugar de origen para que podamos liberarnos de esas limitaciones y elegir algo diferente. POD y POC son los superhéroes de la consciencia. Deshacen donde creaste algo que te limitó (POC) o donde destruiste algo que podría crear más para ti (POD). Puede que no haya un solo lugar de origen para la energía que estás limpiando, quizá haya un billón, un trillón de ellos, o incluso un dioszillón de ellos.

¿Un dioszillón?

Un dioszillón es un número tan grande que solo Dios lo sabe. Es como darle esteroides al enunciado aclarador. Notarás que algunas veces aparece en el enunciado aclarador, ¡eso realmente amplifica la potencia!

Como un sanador practicante, ¿puedo usar el enunciado aclarador cuando trabajo con otras personas?

Por supuesto, te daré algunas maneras de usarlo a medida que avancemos en este libro. Si eliges decirlo en voz alta y quieres que la gente sepa que proviene de este libro o de Access Consciousness, eso es genial, y tampoco tienes que hacerlo.

Esencialmente, el enunciado aclarador se basa en la idea de que todo se puede cambiar. Considera algo sólido de la habitación en donde estás; la pared, la mesa, una taza de café, un jarrón. Se ven bastante sólidos ¿cierto? Sin embargo la ciencia nos dice que todo es 99.99% espacio. Esas cosas aparentan ser sólidas, porque las moléculas se han acomodado así, y nuestro punto de vista y nuestras expectativas también las mantienen acomodadas así.

¿Y si todo en la vida se pudiera cambiar? Incluyendo, y especialmente, tus limitaciones, que parecen tan sólidas y reales.

¿Y si pudieras acceder al espacio que hay dentro de esa solidez y atravesar esas limitaciones?

Usar el enunciado aclarador más allá de las páginas de este libro

Algunas veces, mientras experimentas la vida, percibirás una energía limitante en torno a una situación, una persona, o un evento. Podrías ir de camino a una reunión, y sentirte aprensivo o ansioso acerca de cómo van a recibir tus ideas. Esa energía, la energía pesada y restrictiva, se puede aclarar con un POD y POC.

O podrías estar a punto de hacer algo que has estado esperando durante días o meses, quizá estás de camino a cenar con tu mejor amigo, o estás a punto de irte a un retiro a tu lugar favorito del mundo, a donde ya has ido docenas de veces, y te llega esa energía restrictiva y sólida y no tienes idea de por qué. No necesitas saber por qué está ahí para aclararla, y no necesitas saber de dónde viene. Nota la energía y utiliza la versión corta "POD y POC, POD y POC, POD y POC".

Lo fantástico del enunciado aclarador, y la razón por la que a menudo lo llamo "la varita mágica", es que funciona para cambiar cualquier cosa que te limita, y no necesitas pasar horas en terapia, y nunca tienes que analizarte ni escudriñarte. La creencia limitante que estás deshaciendo quizá sea algo que creaste la semana pasada, el año pasado, o en una vida previa. No importa. La puedes cambiar ahora.

Ese es el poder que tiene el enunciado aclarador: te permite usar el caos maleable de la consciencia para crear una nueva realidad.

PARTE
DOS

UNA NUEVA MANERA DE SER

Tu camino como encantador de cuerpos ha comenzado, con la presentación de la energía y consciencia.

—

¿Y si despertar la conexión con tu propio cuerpo es el catalizador para todo lo que sigue?

—

¿Y si estuvieras dispuesto a saber cómo el cuerpo utiliza el dolor y la incomodidad para comunicarse con nosotros?

—

¿Y si levantaras el velo sobre la causa principal de todas las enfermedades, y con esa consciencia, pudieras traer un cambio sanador para tu propio cuerpo, y para aquellos con los que trabajas?

—

¿Entonces qué sería posible?

Escuchar y hablar
con tu cuerpo

Tómate un momento para pensar acerca de cómo inició la relación con tu cuerpo, mucho tiempo atrás en tu infancia temprana. Específicamente, recuerda cuántos almuerzos tomabas para crecer.

¿Quién decidía *cuándo* comías? ¿Quién decidía *qué* comías? ¿Quién decidía *cuánto* comías?

¿Tus papás te permitían saltarte las verduras e ir directamente al postre?

¿Qué pasaba si estabas lleno, pero no te habías comido todo lo que estaba en el plato? ¿Qué pasaba si tenías hambre, pero no era la hora de comer? ¿Se utilizaba la comida como recompensa por portarte bien o como tranquilizador cuando te pasabas de la raya? ¿Se tomaba el hecho de comerte todo como una muestra de respeto hacia tus padres, y también como una señal de compasión hacia todos los niños alrededor del mundo que eran menos afortunados que tú?

Si estás asintiendo con algo de esto, ¡debes saber que no estás solo!

Porqué dejamos de escuchar a nuestros cuerpos

Las restricciones y reglas respecto a la comida son algo habitual en la mayoría de las familias. Usualmente todo se hace con buena intención, pero es raro que alguien se detenga a pensar acerca del mensaje que se les da a los niños, el cuál es algo así: *Escucha cómo piensan los demás que debes alimentar a tu cuerpo, en lugar de confiar en que tu cuerpo sabe intuitivamente qué tipo de nutrición requiere.*

Curiosamente, cuando no se les exige ni se espera nada, los niños se comportan de forma muy diferente en torno a la comida. Notarás que picotean: Comen un poco y salen a jugar, regresan, comen un poco más, y salen a jugar… y así sucesivamente.

Lo único que limita este flujo y ritmo naturales en los niños es el rígido punto de vista de los adultos de que deben tener una hora de comida y comer de cierta manera.

¿Qué tal que comer más de lo que necesitas, o comer lo que a tu cuerpo no le interesa consumir, fueran solo dos de las formas en que has practicado dejar de escuchar lo que tu cuerpo intenta decirte?

¿Y si hubiera una docena más? ¿O quizá miles más?

¿Por quién estás eligiendo?

Considera esto: Cuando te vistes por la mañana, y estás frente a tu clóset, eligiendo qué atuendo ponerte para el día ¿para quién lo estás eligiendo?

¿Lo estás eligiendo para ti? ¿O eliges tomando en cuenta a los demás?

¿Cuándo eliges, tomas en cuenta lo que pensarán los demás acerca de lo que traes puesto? Quizá las personas del trabajo, tu pareja, tu madre… y entonces ¿te dejas llevar por lo que piensas que *deberías* usar, y descartas lo que te *gustaría* usar?

Más específicamente, ¿descartas aquello que a tu cuerpo le *gustaría* ponerse?

Porque sí, ¡tu cuerpo por supuesto que tiene un punto de vista acerca de la ropa que usas!

Simplemente nunca se nos ocurrió preguntarle.

¿Por qué es eso? Pues, de la misma manera que crecimos recibiendo mensajes acerca de qué comida consumir, también nos inundaron con opiniones y puntos de vista acerca de qué ropa era aceptable y apropiada para nosotros.

Piensa al respecto, ¿alguna vez recibiste una mirada de desaprobación de tus padres por un atuendo que elegiste cuando eras adolescente? ¿Y qué tal ahora?

Si eres como muchas de las personas que conozco y con las que trabajo, es posible que aún recibas esas miradas de reojo o críticas poco disimuladas en las reuniones familiares acerca de tu apariencia:

Ah, qué interesante atuendo.

¿Ese vestido realmente es de tu talla?

¿Cómo describirías ese color?

Las opiniones no solicitadas de otras personas nos llegan, directa o indirectamente, a cada momento del día. Piensa acerca de los medios: esas revistas y artículos en línea están repletos de consejos sobre lo que hay que llevar y lo que no. Lo que está de moda esta temporada, lo que no. Después de cualquier ceremonia de entrega de premios de alto nivel, encontrarás una disección de los atuendos usados en la alfombra roja: algunos serán celebrados, otros serán objeto de burla.

¿Por qué hablo de todo esto?

Bueno – piensa en todos esos juicios y puntos de vista – ¡sólo sobre las prendas que ponemos sobre nuestros cuerpos!

Nos lo creemos todo y ni una sola vez nos detenemos a preguntarnos qué necesita nuestro cuerpo.

La consciencia de tu cuerpo no se limita a las cuestiones relacionadas con la comida y la ropa: también tiene consciencia de las actividades en las que le gusta participar, de las personas con las que le gusta estar y de las personas con las que desea intimar.

Siempre que subimos el volumen de los juicios, los puntos de vista y las conclusiones de los demás, y bajamos el volumen de nuestro propio cuerpo, nos mantenemos separados de su increíble y suave consciencia... respecto a todo.

¿Qué tiene que hacer tu cuerpo para llamar tu atención?

¿Qué pasa cuando NO escuchamos a nuestros cuerpos?

Cuando te separas de tu cuerpo, y no tienes práctica con el lenguaje energético que utiliza, simplemente tiene que encontrar otra manera de decirte lo que necesita decirte. Esta es la razón por la que el cuerpo crea rigidez, dolor y enfermedad – todo como una forma de llamar nuestra atención, todo como una forma de comunicar cualquier consciencia que no escuchamos.

Ahora, vamos a explorar esto mucho más a medida que avancemos en el libro, pero tómate un segundo para pensar en esto.

Parece casi una tristeza: Nuestros cuerpos son tan generosos. Sólo piensa en lo que hacen todos los días por nosotros: Nos llevan de la A a la B y a la Z, digieren la comida, luchan contra los bichos, circulan la sangre y el oxígeno... ¡son los que dirigen todo el espectáculo físico! Y aquí estamos, tan inconscientes que han llegado al punto de que el dolor y la rigidez son las únicas formas en que pueden ponerse en contacto con nosotros.

La noticia maravillosa y transformadora es que puedes desarrollar una relación con tu cuerpo hoy, comenzando ahora mismo si así lo eliges. Esta relación se puede alimentar y construir con facilidad, y todo el proceso contribuirá a tu vida, a tu vivir Y TAMBIÉN a tu negocio y a tu práctica.

¿Listo para abrir algunas puertas ahora mismo?

¿Usamos el enunciado aclarador? Realmente es la forma más rápida que he encontrado para cambiar cualquier cosa y todo. Esta se centra en destruir y descrear todos esos puntos de vista acertados y equivocados sobre lo que necesita o desea tu cuerpo.

Aquí lo tienes. Léelo y fíjate en la energía que evoca.

> *Todo lo que hayas hecho para imponer que hay un punto de vista acertado o equivocado acerca de comer, acerca de los suplementos, acerca de la ropa, acerca de todas las otras cosas que tu cuerpo desea o no, ya sea una cantidad de sueño que has determinado que tu cuerpo requiere, o un alimento específico que tu cuerpo necesita comer, ¿lo destruyes y descreas por favor?* **Acertado y equivocado, bueno y malo, POD y POC, todos los 9, cortos, chicos, POVAD y más allá.**

¿Qué tal? Quizá quieras repetirlo un par de veces y solamente nota lo que pasa con la energía que surge.

Nota cómo se expande, como si apareciera más espacio a su alrededor. ¡Ese eres tú aclarando tus puntos de vista limitantes! ¡Bien por ti!

Podemos hablar por horas y avanzar, o podemos usar el enunciado aclarador y mover montañas.

La inconsciencia y la anti-consciencia: la base del malestar

Todos los malestares, ya sean físicos o psicológicos, ya sea que se presenten como dolor, enfermedad, cansancio o malestar, son resultado de uno o de ambos estados: la inconsciencia o la anticonsciencia, y el juicio es el ingrediente crucial en ambos estados. Hablaremos más acerca de los efectos del juicio a lo largo de este libro, particularmente en el capítulo 5. A menudo me refiero al juicio como un asesino: es un asesino de las posibilidades y del cambio.

Si regresamos a la noción de que la consciencia es donde todo es incluido y nada se juzga, y donde nada se considera acertado ni equivocado, entonces nos podemos acercar un poco más al entendimiento de la inconsciencia y la anticonsciencia. Sigamos desgranando qué son y cómo se relacionan con la enfermedad.

La **inconsciencia** es similar a la falta de consciencia. Es cómo vivimos cuando no nos hemos dado cuenta de nuestra capacidad para la grandeza, y cuando no hemos reconocido nuestra capacidad para ver a través de las mentiras de la realidad que nos han hecho creer. No estamos listos, ni dispuestos, a ver el espectro completo de las posibilidades que están disponibles para nosotros. Vivimos de una manera estrecha, gobernada y cegada por el juicio.

La **anticonsciencia** es similar en el sentido de que se alimenta del juicio, y también en cuanto a que la persona que hace anticonsciencia se niega a ver la vida increíble que podría ser, pero a comparación con la inconsciencia, involucra un elemento de elección.

Es algo parecido al autosabotaje: Alguien que es anticonsciente, por la razón que sea, ha decidido deshacerse o alejarse de la consciencia, a pesar de que sabe, en algún nivel, que hacerlo lo limitará personalmente.

Es importante notar que la anticonsciencia también se puede dirigir hacia los demás. De nuevo, a menudo inicia en forma de juicios, y cuando lo notes, te darás cuenta de los juicios de los demás invaden tu mundo y tu ser. ¡Lo bueno es que podemos estar armados y listos!

O, más precisamente: Podemos ser *conscientes* de la anticonsciencia, y es ahí donde reside nuestro poder.

Cuando somos conscientes, y nos hacemos conscientes de nosotros mismos, nos volvemos impermeables a los juicios de las otras personas y a la anticonsciencia en general. Y, aquí está la parte genial: Nuestros cuerpos se aligeran y se vuelven más saludables. Y mucho más felices.

El dolor, la rigidez, la enfermedad, todo eso es resultado de la inconsciencia y la anticonsciencia. Cuando empiezas a captar esto, puedes empezar a usar esta consciencia para crear más espacio en tu cuerpo y en los cuerpos de los demás.

¿Listo para la parte de ciencia?

Elípticas

Tus células, cuando están saludables, son esféricas en estructura. Como esferas, están abiertas y son absorbentes. Como esferas, hacen lo que necesitan hacer para mantenernos altamente funcionales y libres de enfermedades, y lo hacen muy bien.

En los años recientes, los científicos han descubierto que *la estructura esférica de una célula se ve comprometida y se modifica* por nuestros pensamientos, sentimientos y emociones. Nuestros juicios y puntos de vista pueden realmente alteran la matriz energética de una célula de esférica a elíptica, y aquí está la clave: Una estructura celular elíptica, los científicos dicen, es la base de la enfermedad. Esto incluye la rigidez, el dolor y cualquier otra presentación física, y también las presentaciones psicológicas.

¿Captas la magnitud de eso? Los juicios que guardamos ya sean nuestros o ajenos (profundizaremos en ello más adelante en el libro) se fijan en nuestras células y en nuestros cuerpos y se manifiestan como enfermedad.

El juicio traba a nuestros cuerpos.

La buena noticia es que tenemos las llaves para destrabar a nuestros cuerpos, y mucho más.

Nuestro remedio es siempre, siempre, siempre la consciencia. Con la consciencia te llevas a ti mismo, y a las personas con las que trabajas, a la consciencia de algo, y al quitar el elemento de juicio las liberas, literalmente las liberas, de lo que sea que les haya estado reteniendo. El dolor de hombros, el dolor de espalda, el cansancio, el letargo, la depresión... la lista es interminable.

Y cuando acompañas la consciencia con el enunciado aclarador, tu capacidad para empoderar a la gente para que disuelva cualquier inconsciencia y anticonsciencia que haya fijado en sus células, en su cuerpo y en su vida, es ilimitada.

¿Qué pasa cuando SÍ escuchamos a nuestros cuerpos?

Cuando empiezas a escuchar y a hablarle a los cuerpos, al tuyo y al de los demás, dejas de predecir, suponer y juzgar lo que requieren. Empiezas a escucharlos con apertura y sin puntos de vista fijos o juicios.

Tu consciencia se acelera. Surge una agudeza fácil en tu forma de estar con la gente. Obtienes en un instante percepciones a las que tal vez nunca hubieras llegado hablando o pensando.

Al desarrollarse tu relación con tu cuerpo desharás mucho de lo que ha estado causándote dolor y manteniéndote estático.

Si eres un sanador practicante, tus clientes amarán ir contigo porque les contribuyes de formas fenomenales a su vida y a su vivir. Y cuando eres así de efectivo, no se puede evitar que se corra la voz, tus clientes le dirán a cualquier persona dispuesta a escucharlos acerca de lo maravilloso que eres (y de cómo pueden agendar una cita contigo).

En resumen, te conviertes en un faro para las personas que te rodean, no sólo para tus clientes, sino también para tu familia, tus amigos y cualquier persona con la que te relaciones. En Access nos dimos cuenta hace tiempo de que la consciencia es contagiosa. ¡Utilicemos esto a nuestro favor y creemos una epidemia de consciencia!

¿Estas listo para despertar tu conexión natural con cada molécula a tu alrededor? ¿Para escuchar con cada vez más facilidad, para abrir las puertas que han estado cerradas y clausuradas por años?

Checa esto: Ya estás en el camino. Simplemente al leer este libro, y estar abierto a sus ideas, estás en camino.

¿Listo para ir más lejos?

Tú y tu cuerpo: Desarrollar la comunión

Para mí, la palabra comunión habla de un sentido de conexión, por eso la elegí aquí. Estamos perfeccionando y desarrollando la comunión natural y bella entre tú: El ser, y tu ser físico: Tu cuerpo.

Desarrollar una comunión con tu cuerpo empieza haciéndole preguntas a tu cuerpo desde un lugar abierto y presente. Y después… escuchar.

¿Suena fácil? ¿Suena difícil?

Espera, de alguna manera ¿ya sabías esto?

¿Son viejas noticias, o nuevas noticias que de alguna manera suenan familiares, como las piezas de un rompecabezas que caen en su lugar…?

¿Pudiera ser posible que siempre hayas sabido que tu cuerpo tiene consciencia, y que hoy es el día en que puedes volverte realmente consciente de ello?

Nuestro punto de partida es preguntarle a tu cuerpo respecto a todo lo que le concierne: desde la comida que ingiere y la ropa que usa, hasta las personas con las que intima.

Estás pensando, *y entonces ¿dónde estoy yo en todo esto?*

Tú, alerta y consciente lector, eres un ser infinito. Simplemente tomaste forma en ese cuerpo, o vehículo, en particular, que ocupas en este momento. Si puedo hablar sin rodeos: Mucho tiempo después de que tu cuerpo expire, después de que esté bajo tierra, o se haya convertido en cenizas, TÚ, el ser, continuarás.

Reconocer que eres un ser infinito es crucial para desarrollar la comunión que puedes tener con tu cuerpo, pero reconocerlo a veces no es fácil… Exploremos esto un poco más.

Tres pasos para desarrollar la comunión con tu cuerpo

Paso 1: Entender que eres infinito

Quiero compartirte un ejercicio que es fantástico para obtener un sentido de este concepto de ser infinito. Te recomiendo que lo leas un par de veces y después te tomes un momento para hacerlo solo.

Comienza expandiéndote 100 millas hacia todas las direcciones. Cierra los ojos si quieres y expándete hacia afuera. No es tu cuerpo físico el que se expande, es tu energía, tu ser.

Expande tu ser hacia todas las direcciones, 100 millas.

Nota que puedes hacer eso fácilmente, rápidamente.

Cuando estás ahí, ve 100 millas más lejos hacia todas las direcciones.

Nota que puedes. Nota cómo puedes estar donde eliges estar.

A continuación, ve 1.000 millas más allá de eso, en todas las direcciones. Observa que tú también estás ahí.

Ahora ve 100.000 millas en todas las direcciones.

¿Ves lo infinito que eres?

—

¿Qué tal estuvo?

A menudo, este ejercicio termina en una respiración bella, grande y profunda, ¡cuando tú, por fin, ocupas el espacio que te gustaría ocupar como ser!

Quizá esta sea la primera vez que te hayas dado cuenta de que tienes esa capacidad, o quizá haya sido la milésima vez.

Si te pareces en algo a mí, no deja de ser fantástico.

Tengo que preguntar: Si un ser puede ir tan lejos y ser así de expansivo y grande en un instante, ¿podría caber dentro de un cuerpo físico del tamaño del tuyo?

Pienso que no.

La noción de que empezamos y terminamos en nuestro cuerpo físico es una de las creencias más limitantes que nos hemos creído, y la peor parte es que al pensar que somos tan grandes o pequeños como lo son nuestros cuerpos, resentimos el tener uno, porque sabemos, en algún lugar de nosotros mismos, que somos enormes, sin embargo, seguimos fingiendo que no lo somos.

Ahora que te has mostrado con tanta facilidad tu capacidad como ser infinito, ¿estás listo para realmente dejar ir a lo grande: el punto de vista que tu cuerpo te limita?

> *Todos los puntos de vista que te hayas creído de que, en realidad, tu cuerpo te limita, en lugar de que tienes un espacio increíblemente grande, que tú eres como ser infinito, y aun así tienes a tu cuerpo ¿lo destruyes y descreas por favor?* **Acertado y equivocado, bueno y malo, POD y POC, todos los 9, cortos, chicos, POVAD y más allás.**

> *Todo lo que hayas hecho para fingir que solo eres así de grande, lo cual es una invalidación de tu ser, lo que también te causa resentimiento y molestia hacia tu cuerpo, como si fuera su culpa que tú elijas fingir ser así de grande, ¿lo destruyes y descreas por favor?* **Acertado y equivocado, bueno y malo, POD y POC, todos los 9, cortos, chicos, POVAD y más allás.**

Haz esos aclaradores y toma una hermosa respiración profunda.

Eres infinito, y tan grande como quieras serlo. Tienes acceso instantáneo a un asombroso sentido de espacio, el tipo de apertura que te permite respirar fácil y libremente. Puedes pedir *ser* ese espacio en cada momento de cada día.

¿Qué quiere decir esto para tu cuerpo?

Cuando juegas con la idea de que tu cuerpo es tu vehículo durante esta vida, aún puedes tener conexión con él, pero el espacio de tu ser ya no estará limitado por él.

Puedes dejar de lado cualquier resentimiento subyacente que tenías hacia tu cuerpo cuando te sentías cautivo en él, y desde el espacio de tu ser puedes contribuirle a tu cuerpo de formas fenomenales.

¿Cómo? Bueno, ¿y si pudieras estirarte al otro lado del planeta en este instante? Lo hiciste hace un par de páginas. Puedes hacerlo cuando lo elijas. De inicio quizá pueda parecer un concepto raro, pero si pudieras estirarte al otro lado del planeta y percibir cada montaña, cada árbol, cada río, cada océano, cada pájaro… ¿cómo sería eso? ¿Cuánta paz le traería a tu cuerpo?

¿Cuánta vitalidad, fortaleza y sanación le traería a tu cuerpo?

¿Y si pudieras acceder a todo eso mientras estás trabajando en el cuerpo de las personas? ¿Qué sería posible entonces?

Paso 2: Empieza a preguntar, empieza a escuchar

Una vez que aceptas que eres un ser infinito en un cuerpo físico temporal, un cuerpo que es consciente, y se da cuenta, y al que le gustaría estar en armonía contigo, te acercas a la idea de que:

Tu cuerpo come, tú, como ser, no comes.

Tu cuerpo usa ropa, tú, como ser, no usas ropa.

Tu cuerpo tiene sexo, tú, como ser, no. (Bueno ¡espero que tú también hayas estado ahí!).

Quizá eso te parezca mucho ¡no te preocupes! No te juzgues si aún no se siente ligero ni adecuado para ti en este momento. Si puedes empezar a contemplar la idea de que tu cuerpo tiene sus propios puntos de vista, que hasta hoy puede que no le hayas preguntado, por ahora eso está genial.

Si quieres tener más claridad con esto, usa este proceso:

> *Todo lo que no te permita empezar a preguntarle a tu cuerpo por todo lo que le concierne ¿lo destruyes y descreas por favor?* **Acertado y equivocado, bueno y malo, POD y POC, todos los 9, cortos, chicos, POVAD y más allás.**

Cuando se trata de preguntarle a tu cuerpo lo que requiere, te recomiendo que empieces con algo muy simple, como la comida.

Recuerda, tu cuerpo come, tú no, ¡así que hace sentido hacer consultarlo!

Digamos que estás desayunando. Estás en tu casa y entras a la cocina, y en lugar de automáticamente ir por lo que acostumbras desayunar, qué tal si te tomaras un momento para preguntar, *cuerpo ¿qué te gustaría comer?*

Y después: Mantente abierto, presente y escucha.

Vuelve a preguntar: *cuerpo ¿qué te gustaría comer?*

¿Qué percibes? ¿Qué te llega? Tu cuerpo quiere huevos, o tocino, o queso, o fruta… o todos los anteriores, o ninguno de los anteriores.

Tu cuerpo quizá aún no tenga hambre. No tienes que comer en automático solo porque es una hora convencional o aceptada para comer. Y no tienes que ser estricto contigo mismo con respecto a lo que es tradicional desayunar. ¿Y si a tu cuerpo se le antoja comer la pasta de ayer? ¿O helado? ¿O pasta y después helado?

¿Estaría bien darle a tu cuerpo eso a las 8am?

Solo hay una manera de descubrirlo… y no hay acertados o equivocados aquí, solo elecciones interesantes. ¡Y la pasta fría y el helado definitivamente son elecciones interesantes para desayunar!

No esperes hacerlo acertado o perfecto inmediatamente. Imagina que quisieras pasar de no haber corrido ni una sola vez en tu vida a correr un maratón, ¿te levantarías e irías a correr 42 kilómetros o entrenarías primero? Es lo mismo aquí. ¡Sólo que es mucho más sencillo!

Es a través de la práctica que empezarás a darte cuenta de la insistencia energética que tiene tu cuerpo.

La siguiente vez, inténtalo con tu ropa. Cuando empieces un nuevo día, parado frente a tu clóset, di, *cuerpo ¿qué te gustaría ponerte hoy?*

De nuevo, mantente presente, abierto y escucha.

Quizá descubras que lo que quiere usar tu cuerpo ¡es lo último que hubieras elegido ponerte si no le hubieras preguntado! Quizá te descubras buscando en algún rincón obscuro de tu armario algo que no te has puesto en años y cuando te lo pones y te miras al espejo, te ilumina. Ilumina tu cuerpo. ¿Por qué? ¡Porque eso es lo que tu cuerpo quiere usar!

Cuando usas lo que tu cuerpo se quiere poner, te quedas con esa luz todo el día. Puedes sentirte vivo todo el día. Las personas te hacen más cumplidos de los que te hacían antes.

¿Por qué hay una diferencia entre lo que tú, el ser, elige ponerse y lo que el cuerpo elige ponerse?

Sencillamente: Lo que tú piensas y eliges está basado en tus juicios, tus proyecciones, tus expectativas y tus puntos de vista acerca de qué es acertado y equivocado. Tu cuerpo no carga con nada de eso.

Tu cuerpo podría tener puntos de vista e impresiones totalmente diferentes, y nunca lo sabrás hasta que preguntes.

Ahora, si no eres perfecto al principio de estar haciendo esto, o la segunda vez, o la décima vez, o la centésima vez, por favor no te hagas sentir equivocado. Estás desarrollando una relación completamente diferente, una conexión totalmente nueva con tu cuerpo que nunca antes habías tenido. Bueno, sí la tuviste, pero como el resto de nosotros, no te enseñaron como nutrirla, así que estuvo fuera de tu alcance por algún tiempo.

Al igual que preguntarle a tu cuerpo lo que quiere comer y ponerse, también puedes preguntarle:

¿Con quién quisieras tener sexo?

¿Qué quisieras hacer hoy?

¿Qué tipo de movimiento te gustaría hacer?

¿Es momento de empezar a divertirte dándole una nueva vida a esta conexión?

Paso 3: Sé paciente

¿Alguna vez has tenido a un muy buen amigo, alguno con quien hayas sentido una conexión profunda y gozosa? Una de esas amistades donde puedes ser exactamente quién eres, sin máscaras, sin actuar de una manera que no te queda, simplemente puedes ser tú.

Si perdieras el contacto con ese amigo, imagina reconectarte. Imagina llamarle después de años y que la distancia simplemente se derrite y te sientes conectado de nuevo con alguien que es una enorme contribución para ti. Quizá suceda instantáneamente, o quizá tome un tiempo en calentar, y es lo mismo con nuestro cuerpo.

El tiempo y el esfuerzo para empezar a reconstruir la conexión son tan, pero tan mínimos comparado con los resultados fenomenales y las recompensas que recibes. Y, cuando llevas estas herramientas a tu práctica, a tu manera, puedes esperar crear cambios inconcebibles.

Si usas los tres pasos que hemos explorado, con tus clientes, éstos empezarán a crear una conexión con sus cuerpos y con el todo donde no hay lugar para el juicio. Puedes guiarlos mientras incorporan a su cuerpo de nuevo a su vida y a su vivir, permitiéndote facilitar una curación y un cambio increíbles para ellos.

Mi bello amigo, la aventura realmente ha iniciado

¿Estás listo para comprometerte a construir una comunión con tu cuerpo?

Durante los siguientes tres días, ¿estarías dispuesto a preguntarle a tu cuerpo su punto de vista acerca de todo lo que le concierne? ¿Puedes reconocer que tu cuerpo sabe lo que requiere y desea?

Lo hermoso de esto es que tu relación con tu cuerpo es una parte natural de ti y simplemente la estás despertando. Es tan natural como respirar.

Pronto estarás escuchando y hablando con tu cuerpo sin pensar al respecto y preguntándote cómo es que habían perdido contacto.

El cuerpo como receptor psíquico

Tu cuerpo es extremadamente intuitivo. Recibe las energías de los demás: sus emociones, sus juicios, sus quejas, sus pensamientos, sus ideas y su dolor.

Tu cuerpo hace eso hasta el punto de, prepárate para esto:

Algo así como entre el 50% y el 100% de lo que pasa en tu cuerpo físico (molestias, dolores, enfermedad) quizá ni siquiera son tuyos,

Y:

98% de lo que pasa en tu mente (tus pensamientos, sentimientos, emociones y juicios) no te pertenecen.

La primera vez que escuché estos dos datos, me tomó un momento asimilarlos. Después, cuando se asentó la consciencia, por decirlo de alguna manera, experimenté un cambio total de paradigma junto con una bella sensación de ligereza.

Pensé: ¿De verdad? ¡¿casi todo el dolor que he experimentado ni siquiera es mío?! Sentí una enorme sensación de liberación.

¿Esto es verdad también para ti? ¿Pudiera ser que mucho de lo que está en tu cuerpo y en tu mente ni siquiera sea tuyo? Si es así, entonces igual que yo, y probablemente que alguna otra persona que lea este libro ¡tu hermoso cuerpo es parecido a una esponja!

Saber esto, y ser capaz de trabajar con ello, te coloca a la vanguardia de lo que haces como sanador – y hace que vivir tu propia vida sea

mucho

más

fácil.

Nuestros cuerpos nos dan información todo el tiempo. Nuestros cuerpos son mecanismos sensibles, sensoriales y sensatos. ¿Sabes que los bigotes de los gatos les informan del mundo a su alrededor? Eso es lo que hacen nuestros cuerpos por nosotros.

Podrías pasar al lado de una persona que tiene un problema en las rodillas y de pronto la rodilla empieza a dolerte. Para ti es inesperado, pero eso es solo tu cuerpo diciendo, *'oye, esa persona tiene un problema en la rodilla'.* Tu cuerpo captó el dolor de la persona y te informa al respecto, y entendiblemente, antes de que tuvieras esta consciencia, pensabas que el dolor era tuyo.

Lo siento, por lo tanto es mío

Nos han hecho creer que todo aquello de lo que somos conscientes y todo lo que percibimos, tanto en nuestro cuerpo como en nuestra mente, es nuestro. Hay un sentido de, *'si lo siento, debe ser mío'.*

¿Y si no lo fuera?

¿Y si lo que estoy diciendo es cierto, que entre 50 y 100% de lo que pasa en tu cuerpo viniera de algo o de alguien más?

¿Y si 98% de tus pensamientos, sentimientos, emociones y juicios no te pertenecen? Si pudieras despejar 98% de los pensamientos que tienes cada día, solo tendrías que lidiar con el 2% que en realidad es tuyo.

Qué maravilloso regalo sería eso, qué claridad tendrías. Y cómo podría afectar el día a día y cambiar tu vida y vivir.

Cuando llegué a Access hace 20 años, esas dos gemas de consciencia fueron el inicio de una nueva manera de ser con mi propio cuerpo, y con las personas con las que trabajaba, y ellas crearon un cambio inimaginable.

¿Cómo puedes saber?

Reconocer que es una posibilidad que lo que estás percibiendo en tu cuerpo y en tu mente quizá no sea tuyo es una cosa, pero ¿cómo puedes tener la seguridad de *saber*? Cómo puedes saber si lo que sientes, como el dolor de rodilla, o la tristeza o el enojo, o la náusea ¿no es tuyo?

Y si es tuyo, ¿entonces qué?

Y si no es tuyo, ¿entonces qué?

Amigo mío, es tan fácil.

Primero, puedes descubrir si lo que te está molestando es tuyo… haciendo una pregunta. ¡¿Quién diría que pudiera ser tan sencillo?!

La pregunta que te lleva a esa consciencia es una para tener en tu caja de herramientas de ahora en adelante y posiblemente por siempre.

Aquí está: ¿A quién le pertenece esto?

Puedes preguntar, ¿*A quién le pertenece esto*? Para cualquier cosa que percibas en tu cuerpo o en tu mente: cualquier dolor, cualquier pensamiento, juicio, sentimiento, sensación… literalmente para absolutamente todo.

Con un poco de práctica empezarás a examinar y descifrar y *saber* qué es realmente tuyo y qué no. Y cuando sabes, puedes dejarlo ir o acceder a la consciencia que requieras para dejarlo ir.

Déjame darte un ejemplo. Vayamos con el escenario que usé hace unas páginas, el dolor de rodilla que recogiste de alguien que estaba en la calle. Cuando percibes inicialmente el dolor, no sabes aún si es tuyo o no, así que preguntas: *Cuerpo, ¿a quién le pertenece este dolor de rodilla?*

Si tienes una sensación de ligereza, que el dolor cede, o una sensación espaciosa, entonces no es tuyo. Cuando es ligero, sabes que tu cuerpo ha recogido el dolor y lo único que se requiere de ti es que lo devuelvas a quién le pertenece.

Puedes hacer esto diciendo, *vaya cuerpo, muchas gracias por darte cuenta, dulce criatura ¿Podemos dejarlo ir ahora?*

Después continúa diciendo el enunciado aclarador: **Acertado y equivocado, bueno y malo, POD y POC, todos los 9, cortos, chicos, POVAD y más allás.**

No es tu responsabilidad identificar a quién le pertenece ese dolor de rodilla, o cambiarlo de cualquier manera, tu única tarea es hacer POD y POC y dejarlo ir. Como recordatorio, cuando digo que hagas "POD y POC", me refiero a que uses el enunciado aclarador. Puedes elegir decirlo en su totalidad (como en el ejemplo anterior) o puedes usar la versión abreviada, editada de "POD y POC". Funcionan igual.

La otra posibilidad es que te duela la rodilla, y que tengas una sensación pesada cuando preguntas: ¿A quién le pertenece este dolor de rodilla? Si eso pasa, entonces creaste el dolor, o piensas que te pertenece y lo hiciste tuyo (quizá como una manera de sanarlo) en algún momento en el pasado. De cualquier manera, ahora tienes las herramientas para deshacerlo.

Si lo creaste, vino de un juicio o un punto de vista fijo. Vamos a desenredar todo el tema del juicio más profundamente en el siguiente capítulo, y más adelante en el libro (en el capítulo 10) te ofreceré algunas herramientas prácticas y tomas de consciencia para lidiar con dolor que hemos creado nosotros mismos o que se nos complica dejar ir, pero por ahora es suficiente que sepas que cualquier dolor o incomodidad que experimentes es la manera en que tu cuerpo tiene una consciencia y te la comunica, y si lo creaste (en lugar de recogerlo de alguien más), entonces la raíz está en el juicio o en cualquier punto de vista fijo que hayas hecho real que no lo es.

Entonces, al saber que no es tuyo, estás en una posición privilegiada para acceder a cualquier consciencia que tu cuerpo intente comunicarte, y, de nuevo, la manera para llegar a ello es a través de la pregunta.

Puedes preguntar: ¿Qué no estoy reconociendo que fijo en mi cuerpo como dolor?

Haz la pregunta y ve lo que surge para ti, pero no tienes que obtener una respuesta en específico para aclararlo. Puedes captar la energía de eso y decir, *todo lo que no lo permita y no me permita reconocerlo, ahora lo destruyo y lo descreo, por* _un dioszillón._ **_Acertado y equivocado, bueno y malo, POD y POC, todos los 9, cortos, chicos, POVAD y más allá._**

¿Captas qué valiosa es esta herramienta de ¿a quién le pertenece esto? En serio es un ganar–ganar.

¿No es tuyo? Ya sabes qué hacer con ello.

¿Es tuyo? Ya sabes qué hacer con ello.

¿Listo para probarlo?

Estás dispuesto a preguntar, ¿A quién le pertenece esto? para cualquier dolor físico que percibas, así como con cualquier pensamiento, sentimiento y juicio que tengas durante el resto del día.

¿Estarías dispuesto a hacerlo durante los siguientes tres días? Cuando me presentaron esta herramienta por primera vez, eso fue lo que hice, la usé continuamente y tuve una experiencia tan transformadora, que recomiendo de todo corazón que la uses también por tres días. En serio, te aligerarás a tal punto que serás una meditación andante y parlante.

Al sintonizarte con lo que es tuyo y con lo que no lo es, sueltas lo que no necesitas y se siente como si hubieras perdido 100 libras.

Recuerda, tu meta no es obtener una respuesta definitiva a la pregunta. _¿A quién le pertenece eso?_ Quizá te surja una toma de consciencia inmediata, o quizá no. Quizá sea obvio antes de siquiera terminar de hacer la pregunta:

"A quién le pertenece...ah... espera un minuto... ¡claro! Esto es de mi hermana, listo, no es mío".

O quizá se mantenga desconocido para ti, y esto está bien; tu único trabajo es hacer la pregunta y percibir la ligereza o pesadez que le sigue. De nuevo, si es ligero, regrésalo a quien le corresponda seguido de un POD y POC; si es pesado, pregunta qué es lo que no estás reconociendo.

Si lo haces por cada pensamiento, sentimiento, emoción, juicio y punto de vista que tengas por los siguientes tres días, aclararás las ideas, los puntos de vista y los juicios de todos los demás, y estarán fuera de tu mente, y... ¿puedes sentir la dichosa libertad al solamente contemplar eso como una posibilidad? Desde ahí podrás funcionar desde un espacio hermoso, pacífico y alerta.

Le doy crédito a *¿a quién le pertenece esto?* Como una de las preguntas que salvó mi vida. La usé para curarme la depresión y nunca ha perdido su potencia ni su relevancia. Hoy sigue siendo una parte enorme de cómo practico y funciono. De hecho, uso esta herramienta en casi todas las sesiones que doy, y aún la uso en mí mismo.

Me encantaría que exploraras esto. Tómate un tiempo para usar *¿a quién le pertenece esto?* en tu propio cuerpo y empezarás a preparar el rumbo para usarlo con tus clientes y tener resultados increíbles.

Exploraremos de forma más detallada la forma de hacerlo en el capítulo 10, pero por ahora diviértete sintonizando y apreciando el bello regalo de tu cuerpo físico sensorial.

CAPÍTULO

5

Soltar el juicio

Aquí tienes una pregunta: ¿Cuántas de las herramientas y ejercicios que he compartido contigo en este libro has usado?

¿Todos?

¿Algunos?

O quizá... ¿Ninguno de ellos? Si ese es el caso, ¿te sientes mal, como si no estuvieras lo suficientemente comprometido? ¿O te sientes culpable porque piensas que no estás haciendo lo que se espera de ti?

Debes saber esto: No tengo expectativas de ti. No exijo nada, no hay estándares que debas alcanzar ni metas que debas cumplir. Si aceptaste de todo corazón practicar las herramientas, eso está bien. Si no, *aun así está bien*.

Lo que me interesa, querido lector es: ¿Cuál piensas que es tu compromiso con este libro? Y si lo vemos de forma más amplia, incluyendo otras áreas de tu vida, ¿qué estándares te has establecido para ti mismo? Y, ¿qué pasa cuando no cumples con ellos?

Por ejemplo, ¿crees que te ejercitas lo suficiente? ¿Comes suficientes vegetales? ¿Siempre eres paciente con tus hijos? ¿Eres la persona que deberías ser para tu pareja? ¿Eres una hija / hijo / hermana / hermano / amigo / compañero / vecino grandioso? ¿Eres súper organizado y dedicado a cada tarea que tomas?

¿Eres… perfecto?

Voy a suponer que no lo eres ¡y está bien! He conocido y trabajando con cientos de miles de personas y aún no he conocido a alguien perfecto, y estoy seguro de que nunca lo haré. Por cierto, estoy incluyendo al hombre que veo cuando estoy frente al espejo. Me cae muy bien ¡pero no es perfecto! Espera, déjame decir esto de una manera diferente: Me cae muy bien *y no es perfecto.*

Algo que he descubierto de trabajar con personas por todo el mundo es una creencia común de que, de alguna manera, deberían ser perfectas, o estar cercanas a serlo, y cuando no lo son (nota que no dije "si es que no lo son") se juzgan duramente por ello.

También hay muchas personas que tienen muy altas expectativas de los demás, y cuando esas expectativas no se cumplen, los juicios salen a todo vapor, al grado en que la persona se siente confrontada y decepcionada.

El tema acerca de esperar la perfección, o, para el caso, de esperar algo en concreto, es que deja muy poco margen para que cualquier otra cosa entre a tu vida.

Piensa cómo es cuando empiezas una nueva relación, o cuando ves a tus amigos en esa etapa de luna de miel después de que conocieron a la persona ideal. Todo lo que hace, dice y representa la nueva pareja, es *perfecto*.

Aquí es donde se complica todo: Si decides que alguien es perfecto, ¿Qué pasa cuando hace algo que no coincide con la idea de perfección? Estabas tan enfocado en que haría lo que pensabas que debería hacer, que cualquier otra cosa parece un fiasco.

Un juicio, por su propia naturaleza, solidifica un punto de vista, y nada que no coincida con ese punto de vista puede entrar a tu consciencia. ¿Bastante limitador, cierto?

¿Cuántos juicios positivos has tenido de las personas solamente en los últimos tres meses que te han atascado porque ellas no estuvieron a la altura de tus juicios? Todo lo que eso es, ¿lo destruyes y descreas por favor? ***Acertado y equivocado, bueno y malo, POD y POC, todos los 9, cortos, chicos, POVAD y más allá.***

Ya he dicho esto y lo voy a repetir: El juicio es un asesino. Mata las posibilidades, mata el espacio, mata la energía, mata el gozo, mata la felicidad.

Además, es la causa número uno de dolor, del sufrimiento y de la enfermedad en este planeta. Como encantador de cuerpos, el entender más acerca del juicio y su naturaleza destructiva y limitante te coloca en un lugar en el que creo que casi ningún otro sanador en el planeta está ahora mismo, y un lugar donde puedes traer el cambio a tu propio mundo y al de las personas con las que trabajas con verdadera facilidad.

El tema acerca del juicio es que un hábito arraigado, y nadie tiene la culpa de haberlo adquirido. Es casi un reflejo. Hemos sido condicionados a juzgar *todo* acerca de nosotros. Todo lo que pensamos, todo lo que elegimos, todo lo que hacemos se etiqueta como buen o malo, acertado o equivocado.

¿Y si no tuviera que ser así?

¿Y si no es así como realmente eres, debajo de todo ese condicionamiento? ¿Y si deshacerte de todo el juicio fuera como regresar a casa, y regresar a tu verdadera naturaleza?

Casi como si te devolvieran tus alas.

Por cierto, tenías esas alas cuando eras bebé. No viniste al mundo juzgándote a ti o a los demás; eras una pequeña bolita de consciencia, de energía y de luz.

Como con cualquier hábito, el juicio es un hábito que puedes romper.

Dentro de unas pocas páginas te compartiré un conjunto de herramientas que puedes usar para soltar el juicio, pero primero quiero profundizar un poco más sobre este concepto del juicio, porque quizá haya más de aquello de lo que ahora eres consciente.

Una nueva mirada respecto al juicio

Regresando a lo básico, podemos decir que el juicio es el acto de etiquetar a una persona, a un objeto, a un evento, a una situación, a un pensamiento, o a cualquier cosa, como bueno o malo, o acertado o equivocado.

Cuando eliges la consciencia, las polaridades de bueno o malo dejan de existir. Todo en tu vida pierde esas etiquetas conclusivas y limitantes y se vuelve *interesante*.

Cada elección que hayas hecho o que harás, ya sea una elección que te lleve a la quiebra o una elección que resulte en ganar un millón de dólares, solo es... interesante.

¿Cómo te parece eso?

Estamos acostumbrados a escuchar acerca de cuánto daño puede causar la negatividad, pero ¿qué hay acerca de los llamados puntos de vista positivos? ¿Ganar un millón de dólares podría ser simplemente interesante?

Como un buscador, y con esto me refiero a alguien que está dispuesto a ver más allá de los confines y de las limitaciones de esta realidad (sé que eres un buscador porque estás aquí, leyendo este libro) quizá hayas tratado, desde hace un tiempo, de educarte para salir del pensamiento negativo y pasar al pensamiento positivo. Quizá hayas probado con afirmaciones y otras técnicas para cultivar una mente y resultado positivos. Si ese es el caso, la idea de que el juicio 'bueno' o 'positivo' es algo que debes dejar de hacer puede ser algo difícil de aceptar, pero por favor, escúchame.

Si vamos a soltar el juicio, necesitamos comprometernos a hacerlo totalmente y por completo.

¿Por qué? Porque si seguimos con la creencia que algunas cosas, o personas, o situaciones son 'buenas' entonces, por defecto, decimos que algunas personas y situaciones son 'malas'. Es el asunto de la polaridad de nuevo: en las polaridades de esta realidad, lo bueno no puede existir a menos que haya lo malo. Lo acertado no puede existir a menos que alguien o algo esté equivocado.

Ahora, antes de que vayamos más lejos con esto, debes saber que soltar el juicio no quiere decir que de pronto nos volvamos realmente complacientes respecto a todo y no quiere decir que permitamos que las personas nos hagan cosas feas porque estamos tan iluminados que simplemente estemos encantados de tumbarnos y permitir que las personas nos pasen por encima.

No. En lugar de ello, recurrimos a algo mucho más expansivo que el juicio: la consciencia.

Reemplazar el juicio con consciencia

Aquí está el asunto: Puedes ser *consciente* de una situación negativa o de una persona que pretende limitarte, y no juzgarlas ni a ella ni a la situación.

Y, puedes ser *consciente* de una persona o situación positiva que hace tu vida más grandiosa, y de nuevo, no juzgarlas.

La diferencia entre una toma de consciencia y un juicio es que el juicio tiene un punto de vista adjunto a él. Por ejemplo, digamos que empiezas a hacer ejercicio diariamente y te sientes de maravilla. Juzgas este nuevo comportamiento como bueno y acertado para ti. Y después… un día no ejercitas, y un día se convierte en dos días, tres y en total una semana. ¿Cómo te sentirías? Supongo que te sentirías como un fracasado.

¿Cómo *no* sentirte como un fracasado cuando ya decidiste que ejercitarte te hacía exitoso?

Es completamente posible ser consciente de que te sientes bien cuando te ejercitas regularmente sin juzgar el comportamiento como bueno, acertado, ejemplar y demás. Y puedes notar cuando alguien se comporta de manera egoísta o cruel, o grosera, o lo que sea, reconócelo, ve cómo el comportamiento es limitante, y aun así, no lo juzgues por ello. Solo reconócelo, sin carga, sin un punto de vista adjunto a ello.

De nuevo: soltar el juicio no te convierte en un tapete ni en algo pasivo. De hecho, cuando dejas de ver en blanco y negro al mundo, a las personas, y a ti mismo, te sintonizas más con lo que va a crear más en tu vida y con lo que va a crear menos. Te yergues en tu poder y potencia de una forma que nunca pensaste que pudieras. Permites mucho más crecimiento, diversión, gozo y *sanación* en tu vida.

Aquí hay un par de aclaradores para ayudarte a liberar cualquier concepto falso que tengas respecto al juicio negativo y positivo.

> *¿Donde decidiste que todo lo positivo que pienses no debe ser un juicio y todo lo negativo que pienses debe ser un juicio, lo destruyes y descreas por favor?* **Acertado y equivocado, bueno y malo, POD y POC, todos los 9, cortos, chicos, POVAD y más allás.**

> *¿Cuánto de lo que pensabas que era negativo era una toma de consciencia acerca de las personas, como que eran egoístas, que eran crueles, o que le robaban a alguien? ¿Cuánto de eso tuviste como consciencia, que pensaste que era juicio, que en realidad no era juicio, era consciencia, pero decidiste que, como parecía negativo, debía ser malo y equivocado, así que eliminaste tu consciencia de desde dónde funcionaba la persona y desde entonces estás a merced de ella y de desde dónde funciona? Todo lo que eso es, por un dioszillón ¿lo destruyes y descreas?* **Acertado y equivocado, bueno y malo, POD y POC, todos los 9, cortos, chicos, POVAD y más allás.**

¿Se está aligerando esto para ti? He visto a tantas personas obtener una libertad inmensa cuando tienen un atisbo de lo que es posible si dejan ir el juicio. Cuando nada es bueno ni malo, y solo es 'interesante', todo su ser se vuelve más brillante, y saben que están en camino a recuperar sus alas. No es de sorprenderse, porque el juicio es un peso enorme, metafórica y físicamente.

La energía del juicio

Casi todas las enfermedades, las lesiones y el dolor en el cuerpo de las personas se basan en un juicio, o en varios juicios, que tienen con respecto a una situación. Puede ser su propio juicio, o quizá sea el juicio de alguien más que adquirieron como verdadero.

Funciona así: Como lo hemos explorado, el cuerpo usa el lenguaje de la energía para tratar de comunicarse con nosotros, y a muchos de nosotros, quizá también tú, nos ha costado mucho trabajo escuchar esta energía. La energía se solidifica para tratar de llamar nuestra atención hasta que, a la larga, se convierte en algo como un hombro entumecido y después, por fin, lo sentimos, *y después* tenemos la audacia de decir: "¡Espera! ¡¿Cómo pasó eso?!".

Pensamos que un hombro entumecido sucedió de pronto, cuando en realidad, podría ser el resultado de muchos años de energías acumuladas, todas originadas por el juicio.

Piensa por un momento acerca de la energía del juicio. Piensa acerca de esas etiquetas buenas, malas, acertadas, equivocadas que le ponemos a todo y a todos. ¿Notas que tienen una pesadez, una solidez? Como el concreto que está a punto de endurecerse y solidificarse. Esa es la energía que tiene el juicio.

Ahora, vayamos a la energía de *interesante*. Imagina que algo no es bueno ni malo, solo es interesante. De hecho, llamémoslo *punto de vista interesante*. ¿Cuál es la energía de eso?

La belleza de 'punto de vista interesante' es que deja sin sustento al juicio. Le quita su validez. Vamos a ver esto de nuevo dentro de algunas páginas como una herramienta para salir del juicio, pero por ahora, tan solo nota cuánto más espacio obtienes cuando ves a una persona o una situación como interesante.

¿No le caes bien a alguien? *Interesante.*

¿Aquella vez que pasaste una vergüenza frente a alguien que realmente admirabas? *Interesante.*

¿Alguien piensa que tienes un gusto terrible para decorar? *Interesante.*

¿Cierto que *interesante* te da mucho más espacio respecto a una situación?

Punto de vista interesante no se solidifica como el juicio; tiene una energía totalmente diferente al respecto, y, aquí está la clave: No crea dolor, lesiones, ni enfermedad en ese hermoso cuerpo que tienes.

¿Sabes que obtienes más de aquello hacia lo que diriges tu energía?

Tu cuerpo es como un animal, o quizá como un cúmulo de arcilla. ¡Espera! No avientes el libro al otro lado de la habitación. Escúchame.

Tu cuerpo ¡y el mío! Es como un montón de arcilla, dulce, moldeable, que te dice: "Te daré todo lo que quieras, solamente dime lo que es. ¡Estoy listo!".

¿Y que le damos a nuestros cuerpos? Juicio. Nos vemos en el espejo e instantáneamente aventamos un montón de juicios a nuestros cuerpos dulces y generosos. "Uf, mi trasero está tan aguado. Ve estas piernas de vaca. ¿Me están creciendo los cachetes? Siempre he odiado mis pantorrillas, son tan gordas...".

Nuestro cuerpo toma la energía pesada e intensa del juicio y, con el afán de darnos gusto y darnos lo que pensamos que queremos, nos da un trasero más aguado, unas piernas más de vaca, unos cachetes más grandes y unas pantorrillas más gordas. Hemos dirigido esa energía de juicio de nuestros cuerpos con tal intensidad que el cuerpo lo absorbe y dice "¡Ah eso es lo que quieres! No hay problema, puedo hacer eso para ti".

> *¿Cuántos juicios has tenido de tu cuerpo solo en las últimas 24 horas? Todo lo que eso es, por un dioszillón ¿lo destruyes y descreas por favor?* **Acertado y equivocado, bueno y malo, POD y POC, todos los 9, cortos, chicos, POVAD y más allás.**

¿Quién o qué crea nuestra realidad?

Algunos de nosotros tenemos esta idea de que nuestros juicios y conclusiones acerca del mundo son simplemente hechos y reflexiones del mundo. Algunas personas realmente creen que cuando juzgan algo como bueno o malo, simplemente lo dicen como lo ven.

Mi punto de vista es que nada es como juzgamos que es. Nuestro juicio es lo que crea nuestra realidad. Esencialmente, nuestro punto de vista es lo que crea nuestra realidad, no al revés.

Qué tal que si...

Tu punto de vista crea tu realidad; la realidad no crea tu punto de vista.

Este es un concepto que cambia todo. ¿Te lo repito?

Tu punto de vista crea tu realidad; la realidad no crea tu punto de vista.

Solo piénsalo por un momento. ¿Alguna vez has conocido a alguien cuya perspectiva de la vida fuera muy negativa? Alguien que se lamenta a menudo de que tiene mala suerte, te cuenta que se enferma a menudo, y que las cosas casi nunca le funcionan bien. Y entonces... tiene súper mala suerte, se enferma de todo y, ¡sorpresa! Las cosas rara vez le funcionan.

¿Y si su punto de vista estuviera creando su realidad? ¿Podría ser así de directo?

Creo que así es. ¿Qué piensas tú? Si puedes permitir que el concepto de que estás creando tu mundo entre en tu mundo, estás en camino de un cambio increíble.

¿Estás dispuesto a deshacer absolutamente todos los juicios que tienes en tu cuerpo y en tu vida… en este momento?

Tu voluntad de dejar de juzgar es el catalizador de la grandeza transformadora. Cuando haces un juicio y no estás dispuesto a cambiarlo, mantienes cualquier problema o limitación que tienes ahí, fijo. Mientras esté ahí, lo único que puede hacer ahí es seguir creando los estragos que crea en tu vida. Los achaques, los dolores, la tristeza y el sufrimiento, lo que tú quieras, estarán ahí por mucho tiempo, hasta que ya no estén. Hasta que elijas algo más.

Cuando estés dispuesto a dejar ir el juicio, repite el siguiente aclarador. Compartiré muchas más herramientas para dejar ir el juicio en las siguientes páginas, pero este es un gran punto de partida para ti, y es grandioso para compartirlo con tus clientes.

> *Todos los juicios que tienes que crean devastación en tu vida y devastación en tu cuerpo, que piensas que no puedes cambiar, ¿los destruyes y descreas?* **Acertado y equivocado, bueno y malo, POD y POC, todos los 9, cortos, chicos, POVAD y más allás.**

¿Listo para dejar ir aún más?

¿Qué sería posible entonces?

Salir del juicio:
Una caja de herramientas

Primero: ¡DETENTE!

Aquí es donde te tienes que comprometer: De ahora en adelante, cualquier día, nota cuando te estás juzgando, y qué tan a menudo. Solo con repasar el día hasta ahora, considera esto: ¿Ya te has juzgado mucho? Para algunas personas los juicios empiezan cuando se ven al espejo a primera hora de la mañana; para otros empiezan antes de siquiera abrir los ojos.

Aquí está tu misión. Por el resto del día, nota cualquiera de los pensamientos de juicio que te vengan, acerca de ti, y tan pronto como los notes surgir, simplemente DETENTE.

No tienes que explorar más lejos, o preguntarte por qué sucede, ni profundizar de cualquier manera en cualquier sentido, simplemente ordénate PARAR y sigue con tu día.

He compartido esta herramienta con tantas personas, algunas me dicen que les gusta imaginar una mano, o una señal de ALTO, o algo más visual; algunos lo dicen en voz alta y otros se lo dicen en voz baja. Haz lo que funcione para ti, el punto es… ¡simplemente hazlo! Aquí está un aclarador para darle continuidad:

> *Todo lo que eso es, y todo donde me compré eso, lo destruyo y lo descreo. **Acertado y equivocado, bueno***

y malo, POD y POC, todos los 9, cortos, chicos, POVAD y más allás.

¿Y si dos segundos después te vuelves a juzgar? ¡Fácil! Simplemente vuelve a decir ALTO, y usa el aclarador dos o diez o cien veces más si lo prefieres. La idea es romper el patrón de pensamiento, el hábito, el ciclo de juicio, aunque sea por algunos segundos. Al volverte consciente de ello, tienes control sobre él, y entonces puedes elegir hacerlo menos.

Es en la consciencia donde nace tu libertad.

El cuerpo es un gran lugar para empezar a practicar eliminar el juicio, porque como lo hemos dicho, somos muy propensos a vomitar una letanía de juicios sobre nuestros cuerpos.

Si quieres llevar esto más lejos, pregúntate ¿cuáles son las cinco áreas principales de mi cuerpo que juzgo de manera consistente?

Entonces, cuando notes que estás juzgando cualquier parte de tu cuerpo, ya sean tus caderas, tus brazos, tu estómago, tu nariz, tus pies, ve la mano o la señal de ALTO y di el aclarador.

¡Es todo! No necesitas trabajar más arduamente que eso, porque no *necesitas* trabajar más arduamente que eso para que se abra el espacio en tu vida donde previamente solo había limitación.

Si estás dispuesto, haz esto durante los siguientes tres a cinco días, con lo que sea que estés cómodo. Ve lo que sucede. Quizá tengas la impresión de que en realidad esto más fácil de cambiar de lo que pensabas.

El siguiente nivel

¿Estarías dispuesto a notar también cuando haces un 'buen' juicio acerca de tu cuerpo? No todo el mundo se alegra de deshacer un 'buen' juicio, y lo entiendo, porque sé qué tan difícil puede ser sentirse bien acerca de sí mismo en esta realidad. Si no te sientes cómodo usando el ALTO y haciendo el aclarador con los juicios buenos, por ahora es suficiente con notar cuando los haces, y quizá hacer esta pregunta: ¿Qué se requiere para que pueda dejar ir todo tipo de juicio?

Por favor recuerda, puedes ser consciente de que tienes un cabello hermoso, un torso definido, labios suaves, una naturaleza realmente cariñosa, un sentido del humor fantástico, simplemente no tienes porqué adjuntarles juicio a esas cosas. No necesitas renunciar a nada. Elegir usar esas esas herramientas, o cualquier cosa que comparta contigo, nunca te guiará a un lugar inferior.

Digo esto a menudo porque es verdad: No tienes nada que perder, excepto tus limitaciones.

Elige gratitud

Si estás buscando un antídoto para el juicio *siempre* lo encontrarás cuando elijas la gratitud. El juicio simplemente no puede existir donde hay gratitud. Si estás agradecido por todo tu cuerpo, y por cada una de sus partes, ¡encontrarás que es muy, muy difícil juzgarlo! Cuando tengas ese sentido de apreciación acerca de las cosas maravillosas que hacen nuestros cuerpos por nosotros y con nosotros, se volverá muy difícil hacerle pasar un mal rato.

Simplemente: En cualquier situación, puedes tener gratitud o puedes tener juicio. Los dos no pueden coexistir. Cuando eliges gratitud, el juicio se va, y viceversa: Si eliges juicio, la gratitud se va. Es difícil tener gratitud por algo que piensas que no es suficiente.

Si tuvieras que elegir entre el juicio y la gratitud, ¿cuál crearía más para ti y para tu cuerpo?

¿Qué estás eligiendo ser con tu cuerpo en este momento?

Punto de vista interesante, tengo este punto de vista

Regresando a la conversación de unas hojas atrás, vimos cómo *punto de vista interesante* tiene una energía tan diferente que aquella del juicio. ¿Quieres aplicarlo de una manera muy práctica para crear un cambio fantástico en tan solo unos momentos?

Piensa acerca de cualquier molestia en tu vida en las últimas semanas que aún te causa desagrado. Quizá sea referente a una persona, a un evento, a una conversación, a un altercado, o a cualquier cosa que haya presionado tus botones. Percibe su energía, sin importar lo incómoda que sea.

Ahora di esto, con la energía incómoda que presenta, "Punto de vista interesante, yo tengo de este punto de vista". Di esto en voz alta o solo para ti, como se sienta bien para ti.

Punto de vista interesante, yo tengo este punto de vista.

Nota lo que le pasa a esa energía original que apenas hiciste aparecer. ¿Ha cambiado un poco? Quizá encuentres que lo que era muy pesado y restrictivo hace un momento se ha aligerado, aunque sea un poco.

Ahora vuélvelo a hacer. A esa nueva energía más ligera, y vuelve a decirle: *Punto de vista interesante, yo tengo este punto de vista.*

¿Se hizo más ligera aun? ¿Hay más espacio a su alrededor?

Sigue haciéndolo: *Punto de vista interesante, yo tengo este punto de vista.*

Puedes hacerlo tantas veces como quieras, pero usualmente yo he descubierto que repetirlo tan solo tres veces suele cambiar por completo la energía al respecto.

Precaución: ¡Puede ser adictivo! Y es tan sencillo.

Lo que estás experimentando es el espacio de libertad total, el lugar más allá del juicio.

Lo hermoso es que puedes usarlo para absolutamente todo en tu vida y anulará el juicio alrededor. Cuando funcionas desde punto de vista interesante, no hay acertado ni equivocado. Todo es justo como es.

Para mí, el *punto de vista interesante* puede sentirse como la encarnación de un gran suspiro de alivio. La paz desciende, y empiezo a ser un espacio diferente para las personas a mi alrededor, incluyendo aquellas con las que trabajo.

Considera esto, ponte en la posición de un cliente por un segundo. ¿Preferirías ir con un practicante que tiene, *y es*, la energía del *punto de vista interesante*, o preferirías estar frente a alguien que opera con y desde el juicio?

Yo sé cuál preferiría, y creo que es igual para ti.

Cuando eres un espacio sin juicio para alguien, el cambio que sana empieza a entrar en acción.

Piensa en alguien que no te juzga

Déjame hacerte una pregunta, y es una que he hecho en clases alrededor del mundo durante los últimos 20 años.

¿Tienes a alguien en tu vida que no te juzga y no piensa que deberías ser algo diferente a lo que eres ahora?

Piensa en esa persona por solo un momento. ¿Cómo es estar en su presencia? ¿Fantástico?

Si no tienes a alguien así en tu vida en este momento, lo siento mucho.

¿Pudieras ser esta persona para ti mismo?

¿Pudieras ser esta persona para otras personas que acudan a ti?

Es cuando eliges practicar desde el punto de vista interesante y no desde el juicio que encuentras clientes que se sienten atraídos hacia ti. Créeme, obtendrás más reservaciones e interés de lo que jamás pensaste posible. ¿Por qué? Porque ya sea que lo sepan o no, estar con alguien que no los juzga es algo de lo más buscan las personas de este planeta.

¿Quién es la persona en tu vida a quien quieres llamar cuando pasa algo malo? ¿Es a la que te dice que tus elecciones son malas, o a la que te deja hablar, y después de un rato se disipa todo el peso que traes en los hombros?

Esa persona que funciona sin juicio, sin tener expectativas de ti y sin proyecciones acerca de lo que deberías ser.

¿Y si pudieras ser eso para tus clientes?

¡Puedes! Y has dado el paso de empezar a serlo. Practica las herramientas de este capítulo y te volverás muy bueno en notar cuando entre cualquier tipo de juicio en tu mundo… y en dejarlo ir.

Otra posibilidad

Mucho de nuestro enfoque hasta ahora ha sido en soltar el juicio de nuestros cuerpos y de nosotros mismos, que es la parte más obvia para empezar.

¿Y si ampliaras tu atención y notaras cuando juzgas a otras personas y a sus elecciones?

Al escribir esto, estamos en una era de la historia humana donde muchos ciudadanos están frustrados y enojados con los políticos y con los encargados de las regulaciones que parece que gobiernan el mundo. Sin importar lo enojado que puedas estar con ciertas figuras políticas, si realmente quieres crear un cambio en el mundo *y* adentrarte a tu verdadero poder como sanador, el paso más efectivo que puedes dar es soltar tus juicios acerca de esas personas.

Recuerda: Tu juicio solo solidifica lo que ya está ahí.

Hasta ahora quizá hayas pensado que solo tienes dos elecciones al responder ante una eventualidad:

Puedes alinearte y estar de acuerdo, que es la polaridad positiva.

O bien,

Puedes resistirte y reaccionar que es la polaridad negativa. Ahora tienes la consciencia de la tercera opción: Puedes ser *punto de vista interesante*, la opción sin polaridad. Puedes ver la situación y simplemente reconocer lo que sucede. Ese es un lugar muy poderoso, y al contrario de lo que te dirán muchas personas, también es donde se crea el mayor cambio.

A la mayoría de nosotros nos han enseñado que tenemos que luchar en contra de ciertas causas o injusticias para poder lograr un cambio. Nos han enseñado que, a menos que elijamos un lado y nos mantengamos en contra de las equivocaciones que vemos en el mundo, nada cambiará, y nada podrá mejorar. Eso es una mentira. Una grande.

La verdad es que nuestra potencia yace en elegir SER *punto de vista interesante* (PDVI) acerca de la gente, de los eventos y de las injusticias que queremos mejorar. Cuando vamos más allá de la necesidad de luchar y de demostrar lo equivocado que está el otro lado, es mucho más probable que iniciemos el cambio. Ser PDVI es lo que nos permite abrir el espacio para que existan las posibilidades, y es así como literalmente nos convertimos en el espacio del cambio. Ya no se requiere luchar en contra de una persona o de una causa. Todo lo que se requiere es SER.

Y ¿no has luchado contra las limitaciones ya lo suficiente? Elige ser el espacio de PDVI y ese mundo diferente que has deseado se empezará a actualizar frente a tus ojos.

PDVI es la plataforma desde donde puede despegar tu cohete de sanación. Entre más cerca estés del espacio de ser, más cambio puedes crear, y lo puedes hacer más rápido y a mayor escala de lo que jamás pensaste que fuera posible.

PARTE
TRES

UNA NUEVA MANERA DE SANAR

¿Es momento de llevar tu consciencia al siguiente nivel?

—

¿Y si entendieras aún más tu regalo como encantador de cuerpos?

—

¿Y si pudieras iniciar un cambio meteórico en la vida de las personas, estando en permisión, al estar presente con la energía de todo lo que les afecta, y al hacerles preguntas?

—

¿Y si pudieras SER la pregunta?

—

¿Y qué tal que realmente supieras y entendieras el valor de tu regalo y no tuvieras miedo a recibir?

CAPÍTULO
6

Alejarte de la empatía, de la compasión y de la devoción

¿Sabes qué es ser un empático? ¿Pudieras ser uno de ellos?

Un empático es alguien que tiene la capacidad de sanar, así que estoy dispuesto a decir que todos los que han leído hasta aquí de este libro, son empáticos.

Como empático tienes la habilidad de crear cambios en los cuerpos y en las vidas de las personas. El cambio que creas puede suceder en sesiones uno a uno *y a* nivel planetario. Eres así de poderoso, de cariñoso, y ese tamaño de regalo.

¿Ya ves venir un 'sin embargo' en camino? ¡Es uno muy amigable!

Aquí está el asunto de los empáticos, y esto no es una crítica, es solo una observación de muchos años de trabajar con tantos de ellos… ¡y al ser uno de ellos! De hecho, lo que estoy a punto de compartir es parte del territorio de ser un encantador de cuerpos, y es algo que también solía hacer.

Como lo vimos en el capítulo 4, con la intención de ayudar a facilitar del dolor y el sufrimiento de los demás, tenemos la capacidad de quedarnos con su dolor y su sufrimiento. Podemos hacerlo con personas por las que tenemos cariño, con los clientes que atendemos, y con los extraños que conocemos o con los que nos cruzamos en la calle.

A menudo, lo hacemos sin estar conscientes de que lo estamos haciendo: Quizá tengas una sesión con un cliente a quien le aqueja físicamente un hombro paralizado, y poco después, también a ti te empieza a doler el hombro. Por cierto, su hombro se sintió mucho mejor gracias a ti, gracias a tu esfuerzo para ayudar, cuidar y sanar, recogiste su dolor y su sufrimiento en tu cuerpo.

También puede pasar con síntomas psicológicos. ¿Alguna vez has estado cerca de alguien que se siente deprimido, y notas que una oleada de tristeza te abruma justo cuando el otro se empieza a sentir mejor? Tú recogiste su dolor.

Por un lado, haces algo maravilloso: ¡Estás sanando a las personas! Aquellas que te buscan para obtener un cambio están súper entusiasmadas porque se los diste, pero por otro lado es un cambio temporal; su dolor regresará. ¿Por qué? Porque no *eligieron* dejarlo ir; *tú se los quitaste*. A pesar de que lo hiciste desde un espacio de cuidado, el elemento clave es que te guiaron la empatía, la compasión y la devoción. A pesar de que quizá antes nunca te diste cuenta ni hayas considerado esta idea, la empatía, la compasión y la devoción son puntos de vista superiores. ¿Por qué? Porque te pones por *arriba* de la persona en la que estás trabajando.

Cuando empatizas o te compadeces de alguien adolorido, y te consagras con devoción a quitarle su dolor, *te* vuelves la persona más poderosa en la interacción. Tú eres quien tiene la cura, el antídoto, el remedio, y la otra persona te necesita para sentirse mejor.

Arrojar luz sobre la verdadera naturaleza de la empatía, la compasión y la devoción nos presenta una forma totalmente diferente de ver la sanación, y no se trata para nada de hacerte equivocado porque practicas la empatía, la compasión o la devoción. Sé que es parte de tu cariño, el asunto es que, también eres capaz de mucho más. Y se resume simplemente a esto:

El regalo de la elección

Date cuenta de que tu trabajo, tu regalo como encantador de cuerpos, es empoderar a la gente a que elija algo diferente, y *esa* es la clave para la verdadera sanación. Tú, al simplemente ser tú, le permites que se vuelva consciente de una posibilidad distinta.

Ahora, las herramientas para asistirte con eso las encontrarás en este capítulo y a través del libro, pero por ahora simplemente quiero que empieces a reconocerlo porque es un punto de vista bastante radical respecto a la sanación, y es uno que permite que ocurra mucho más cambio: Cuando recoges el dolor y el sufrimiento de alguien más, le quitas la autonomía y el poder de *elegir dejarlo ir por sí mismo.*

La elección es la clave para la sanación, y la elección de tus clientes es lo que abre la puerta para una vida más grandiosa, libre de dolor.

Creo que estamos viviendo una era donde se requiere que empoderemos a las personas. Y tú, con tu capacidad de empoderar a las personas a que elijan algo más grandioso, eres una especie rara y maravillosa.

Has escuchado el adagio de los viejos: Si le das a alguien un pescado comerá por un día, pero si le enseñas a pescar, se podrá alimentar por el resto de sus días. Eso es lo que hacemos: empoderando a la gente a estar bien, a ser feliz, a estar plena durante toda la vida, no solo temporalmente cuando le quitas el dolor.

Y, aquí está la clave: Si le muestras a alguien que tiene el poder de elegir cambiar lo que le ocurre, genial. Si elige no cambiarlo, aún sigue siendo genial.

Esto quiere decir que no te castigas, no lo reprendes, y no te enojas con el mundo, ni renuncias a ser un encantador de cuerpos por la injusticia y la frustración de todo cuando alguien no elige la consciencia y el cambio.

No es tu responsabilidad cambiar a las personas. Incluso cuando hay alguien en tu camilla por el cual tienes cariño y con quien te sientes conectado, alguien a quien entiendes totalmente, alguien a quien realmente quieres ayudar. Asumir su problema nunca funcionará.

Tu don es inspirar a las personas para que elijan el cambio por sí mismas.

En resumen: No se trata de ti. He visto a tantos sanadores talentosos quedarse atrapados en un ciclo de juicios cuando sus clientes no eligen cambiar. Honestamente, lo he visto cientos de veces. Si esto te resulta familiar, por favor repite este:

> _Todo lo que has hecho para crear lo equivocado de ti_
> _como sanador, lo equivocado de ti como alguien que_
> _facilita cambio, y lo equivocado de ti como alguien que_
> _no lo puede hacer por suficientes personas en un periodo_
> _de tiempo lo suficientemente corto como para realmente_
> _cambiar al mundo de la manera en que sabes que es_
> _posible, ¿lo destruyes y descreas por favor?_ **_Acertado y_**
> **_equivocado, bueno y malo, POD y POC, todos los_**
> **_9, cortos, chicos, POVAD y más allás._**

A pesar de lo frustrante que puede ser cuando sabes que alguien debería ser capaz de elegir y elige no hacerlo, cuando te desprendes de la emoción, _de la superioridad de ello_, ejerces con mucha más facilidad y efectividad. Ya no te tienes que dedicar a conseguir que los demás cambien, y ya no necesitas recoger su dolor en tu cuerpo para darles algo de alivio.

Lo único que tienes que hacer es mostrarles una posibilidad más allá del dolor con tu propio ser. Y mostrarles una posibilidad más allá del sufrimiento al permitirles saber que ya no tiene que existir.

Aquí está el cómo: tú ERES energía

Tu regalo es ser con tus clientes sin juicio, desde un espacio de cariño total, y ver su brillantez y su belleza. Estar ahí como un espacio de ser que es totalmente vulnerable. Mantente dispuesto a atravesar por cualquiera de las pruebas y tribulaciones que han tenido o están teniendo. Sé una fuente para una posibilidad más grandiosa, y apóyalos y nútrelos para que reconozcan que tienen el poder de elegir.

Esta forma de ser con las personas crea un cambio como ningún otro que yo conozca. Las cosas que previamente parecían imposibles cambiarán en su vida, en su cuerpo, en su mundo, en su psique y en su psicología. Y todo surge de que ejerces tu práctica sin empatía, sin compasión y sin devoción, y en su lugar eliges ser la consciencia de que pueden superar cualquier cosa.

Considera a aquellos en los que trabajas, como la grandeza que son y que no pueden ver en sí mismos. No se trata de decirlo en palabras, es un espacio más allá de las palabras. De todas formas, las palabras, especialmente los cumplidos, se rechazan muy a menudo. En cambio, *sé* la energía de la consciencia de lo grandiosos que son, y al mismo tiempo, sé la consciencia de la energía de todo lo que tú mismo has superado.

Cuando eres la consciencia de la energía de todo lo que es realmente posible, le das a tus clientes el poder de modificar y cambiar su mundo entero. Las modificaciones y cambios que les permites crear son absolutamente fenomenales algunos incluso lo llamarían milagrosos.

CAPÍTULO

7

Sanar con el caos

Cuando piensas acerca de cómo la enfermedad afecta al cuerpo desde un punto de vista biológico ¿qué imágenes te llegan a la mente?

Cuando visualizas una enfermedad o un virus apoderándose de los órganos, los huesos, las células ¿tienes la impresión de que el cuerpo está siendo atacado de alguna manera? ¿Que algo ingobernable y anárquico está irrumpiendo un sistema ordenado?

Si es así, es porque ese es el consenso general, y ese es el punto de vista de la mayoría de los profesionales que practican medicina y estudian las enfermedades. Nos hemos apropiado de ese punto de vista hasta el punto de que cuando hablamos de los efectos de un virus, de una infección, o de una condición como el cáncer, a menudo utilizamos un lenguaje que evoca el sentido de que sucede algo caótico, y que algo desafía el estatus quo y la paz de nuestros cuerpos.

Yo también me creí ese punto de vista: *el caos es malo, el orden es bueno.* Esas creencias básicas formaron mi entendimiento acerca de la naturaleza de la enfermedad durante la mayor parte de mi vida adulta. De hecho, es solo en los últimos cinco años que he accedido a la consciencia de que sucede algo más, y estoy muy contento de compartirlo contigo porque, honestamente, es algo que cambia por completo la situación.

Siempre supuse que porque me interesaba la consciencia y las posibilidades más grandiosas, mi trabajo era traer orden al caos de este mundo. Tenía la idea de que el orden trae paz, mientras que el caos trae desasosiego, desastre y destrucción.

Y entonces, se levantó el velo, y finalmente llegué a una consciencia totalmente nueva:

El caos es una fuerza creativa que actúa como un gran catalizador del cambio.

El caos es donde residen la libertad y las posibilidades.

Ahora bien, esta consciencia fue algo que me frio el cerebro cuando llegó por primera vez a mi mundo. ¿Has notado cómo las cosas que desafían tus creencias a menudo son así? Y, cuando empecé a instituirlo en mi práctica, empezó a cambiar todo.

Así que ¿cómo llegó a mi mundo?

Como a menudo sucede: con una pregunta, o en este caso, con muchas preguntas. Hace cerca de cinco años tuve un cliente en particular y la energía de esta persona era tan pesada. Tan, tan pesada y tan, tan sólida. Simplemente no podía llevarlo a un lugar donde pudiera disolverla, y estaba frustrado.

Empecé a preguntar, ¿me pregunto qué se requiere para cambiar esto?

Por cierto, esta pregunta es una gran herramienta para aquellas personas en las que trabajan que tienen verdaderas dificultades para cambiar. Volveremos a tratar esta pregunta, y otras, en unos capítulos más cuando veamos más de cerca el maravilloso cambio que las preguntas pueden iniciar con tus clientes.

Estaba hablando acerca de la situación con Gary, como es habitual, y estaba compartiendo mi frustración. Dentro de las preguntas que hicimos estaban: ¿Me pregunto qué se requiere para cambiar esto? ¿Me pregunto qué le tengo que preguntar a esta persona? ¿Me pregunto de qué tiene que tomar consciencia?

Ya sabíamos que en cualquier área en que una persona no puede cambiar, ya fuera una enfermedad, una depresión, o algún punto de vista fijo con el dinero, un punto de vista fijo con las relaciones, un punto de vista fijo con cualquier cosa en su vida ha ordenado su realidad para que exista a tal grado que ya no se puede mover.

Pero no fue hasta que fuimos más allá de esa consciencia al preguntar: "Si eso es el orden, ¿qué se requiere para que el cambio ocurra?" y en un santiamén recibimos una palabra:

Caos.

Era tan ligero que no podíamos negarlo, y era tan ligero que comenzamos a reír. Bueno, realmente a sonreír. Me di cuenta de que había pasado una gran parte de mi vida adulta tratando de poner orden en el mundo y en los cuerpos de las personas cuando el ingrediente clave que permite la libertad y las posibilidades era el caos.

Con esa toma de consciencia vino a mi mundo tanta ligereza y cambió la forma en que veía casi todas las relaciones con los clientes que tenía en ese momento. (Y también muchas de mis relaciones con no clientes).

¿Te ha pasado que empiezas a ver las cosas desde un lugar diferente y comienzas a ver todos los lugares donde puede aplicarse esta nueva consciencia? Pude ver que todos los escenarios con los clientes en donde había estado atorado y sin poder contribuir a un cambio tenían sus raíces plantadas en el orden. Y mientras reflexionaba sobre cualquier cambio que había creado con clientes hasta ese momento, ya fuera que estuvieran atorados y fijos física, emocional, financieramente, en sus relaciones, o en sus cuerpos, y no importaba, cada vez que había habido cambio, se creaba mediante el caos.

El caos es creativo

Muchas personas identifican equivocadamente el caos con los estragos, que desde mi punto de vista para nada son lo mismo. Los estragos son una fuerza de daño que siempre crea *menos* en el mundo de las personas.

El caos es una fuerza creativa para el cambio que siempre crea *más* en el mundo de las personas. Es una distinción dinámica, y una que puede llegar a dar mucha claridad.

Hace un par de años, un huracán pasó por mi vecindario e inundó mi casa con un metro de agua. Este huracán fue grande, estuvo en las noticias internacionales. Según muchos noticieros, y las opiniones de mis vecinos, amigos y familiares preocupados, este huracán trajo caos total. Dañó las casas, destruyó el cableado de electricidad, y cerró los negocios.

Para mí, definitivamente fue un dolor de cabeza, y la limpieza y restauración requirieron de mucha atención y energía.

Sin embargo, con la renovación *mi casa se volvió más grandiosa*. Pude hacer cambios que nunca hubiera pensado posibles si no me hubiera visto obligado a hacerlos. Aprecié mi casa bajo una luz nueva y fresca, y eso ocurre con el caos: *crea espacio para el cambio, incluso cuando, al principio, ese cambio parece no haber sido solicitado*. Lo que pasa con el cambio es que siempre es solicitado. Y siempre es regenerativo y siempre tiene ímpetu, al igual que el caos.

Como encantadores del cuerpo, nuestro trabajo es restaurar el movimiento en forma de caos en el mundo de las personas.

Para abrir otra capa de esta consciencia, veamos más detenidamente tanto el orden como el caos.

El orden en primer plano

Cada juicio es orden. Cada pensamiento, cada sentimiento, cada emoción, cada punto de vista fijo. Cada proyección, cada expectativa, cada separación y cada rechazo. Y cuando tus proyecciones y expectativas no se cumplen, y te juzgas a ti mismo, a los demás y al mundo en general: Eso es orden, orden, orden.

Para todo lo que juzgas, nada que no coincida con ese juicio puede entrar en tu consciencia. Cuando juzgas algo, solo estás dispuesto a verlo como sólo una cosa, una cosa sólida, maciza, pesada sin capacidad de moverse o cambiar.

No quiere decir que no exista algo más allá, quiere decir que lo único que estás dispuesto a ver es lo que coincide con tu juicio y coincide con la rectitud de tu juicio.

Cada vez que requieres tener la razón, haces orden. Siempre que decides que estás equivocado, haces orden. Cada vez que debas mantener la rectitud de tu punto de vista o lo equivocado de tu punto de vista, haces orden.

Por cierto, ¿Qué energía percibes respecto al concepto de orden? ¿Captas una sensación de pesadez, o de ligereza? ¿Es sólido o espacioso?

¿Y qué hay acerca del caos? Cuando te alejas de la idea de que el caos es violento, o destructivo, ¿tienes un sentido más amplio de posibilidades, de espacio y de libertad a su alrededor?

El caos en primer plano

Lo que cambió todo para mí fue cuando me di cuenta de que la consciencia es en realidad caos.

El caos es consciencia en movimiento.

Tómate un momento para pensar acerca de la naturaleza del mundo: los árboles, las plantas, las fantásticas redes de hongos debajo y por encima del piso del bosque. Piensa en el musgo, en el pasto, en los primeros brotes de un narciso en la primavera.

En las cadenas de montañas, en los lagos, en los volcanes, en el mar. En tu mente, trae un sentido del mundo natural Siéntelo en tu cuerpo.

¿Tiene algo de intensidad?

¿Hay algo de caos?

Hay un caos en la naturaleza, y coexiste con los elementos más pequeños posibles de orden. El caos es necesario y esencial para la naturaleza, solo que el orden nunca lo supera ni lo contiene. Nosotros, como humanos, somos los que tenemos la tendencia de ordenar de más nuestro caos natural.

Los animales funcionan desde el caos de poder moverse continuamente y de cambiar con base en el ambiente cambiante. De nuevo, el orden está presente, y de nuevo, hay una cantidad mínima en comparación con el caos. El orden mantiene a los cuerpos unidos, tal como el caos de un árbol, del océano y del volcán se mantienen unidos por una pizca de orden.

¿No es bello cuando lo ves de esta manera?

Mira al cielo para ver más: las estrellas, los planetas y la energía obscura que los científicos admiten que aún no entienden por completo. El sol sigue creando continuamente su propia energía: Es un maravilloso ejemplo de caos que se mantiene unido por el orden.

¿Qué tal si tú y tu cuerpo fueran tan caóticos como la naturaleza, como los animales, como el sol?

¿Y eso pudiera ser una cosa hermosa, electrificante?

La energía de estar...vivo

Creo que el caos es tu estado natural. Tengo la certeza de que cuando eras un bebé, o un pequeño niño descubriendo el mundo por primera vez, lo hacías desde un estado natural de caos, ya sea físicamente con un montón de energía para correr, brincar, jugar, tocar, intentar y probar, o en el ámbito de tu imaginación donde tu naturaleza curiosa jugaba con ideas, historias y conceptos, y hacías muchas preguntas.

¿Y si pudiera ser así de nuevo? Caos con la justa cantidad de orden para mantenernos funcionando en este hermoso planeta.

Esa energía, la intensidad de estar vivo, es una energía intensamente caótica, *y es una energía consciente*, porque los niños no le adjuntan un punto de vista a nada.

¿A dónde se fue tu caos?

Tan caóticos como podemos ser de manera natural, ese caos se resguarda, en esta realidad, en un cuerpo con una mente adjunta. Aún está ahí, pero quizá haya sido disminuido, reducido, y haya sido silenciado por los puntos de vista ordenados que entran continuamente desde el mundo exterior.

La mayoría de nosotros somos principalmente sólidos con algunas bolsas de caos. ¿Qué es una bolsa de caos? Aquellos momentos donde sientes que realmente tienes el gozo de ser tú. Quizá te ríes sin control, te sientes aturdido, o estás calmado y centrado, es diferente para cada uno de nosotros. El elemento común es un bello sentido de ligereza y conexión con quienes realmente somos.

¿Cómo se siente esto para ti? ¿Te podrías permitir ser un poquito caótico?

Todo lo que no te permita ser tan caótico como eres realmente, porque decidiste que era equivocado, y te dijeron que tú estabas equivocado, así que decidiste que nunca volverías a serlo, especialmente porque eres una persona estilo sanador que nunca quiere hacerle nada malo a nadie y decidiste que ser caótico es malo, en lugar de reconocer que tu caos quizá sea el mayor regalo que puedas darle a todas las personas que conoces, a todas las personas que has conocido y a todas las personas en las que has

trabajado, todo lo que eso es, ¿lo destruyes y descreas por favor?
Acertado y equivocado, bueno y malo, POD y POC, todos
los 9, cortos, chicos, POVAD y más allás.

¿En dónde entras tú, como encantador de cuerpos?

En los siguientes capítulos encontrarás herramientas,
preguntas y sugerencias para introducir el caos en tu
práctica. En este momento, me encantaría que simplemente
captaras la energía del caos y lo que puede crear para ti y
en las personas con las que trabajas.

Uno de tus más grandes regalos como encantador de
cuerpos es reintroducir el caos en los sistemas que han
sido altamente ordenados, después de todo, cada proceso
de la enfermedad está basado en el orden.

El orden es la lentitud que percibes en alguna parte
del cuerpo de la persona donde tiene dolor, rigidez
o enfermedad. Es la lentitud en las personas que están
deprimidas o tristes. Es la lentitud que domina cuando
el caos, el flujo natural y el movimiento de energía están
ausentes.

Cuando reintroduces caos a tu espacio de sanación, el
cambio que creas no es lineal. Va mucho más allá de la
forma de trabajar con los clientes donde A + B = C.

En el caos, una molécula de cambio puede crear un universo
entero de posibilidades. En el caos, una pregunta puede

abrir una consciencia a un mundo totalmente diferente de lo que puede estar disponible.

Donde el orden lleva la destrucción de posibilidades, el caos dirige a la destrucción del orden *y* al incremento de las posibilidades.

Al reintroducir el caos en donde hay orden, verás que los cuerpos de las personas se empiezan a mover más libremente. Verás que se vuelven más flexibles con sus capacidades emocionales para tener más fluidez emocional. Verás que empiezan a tener de nuevo un sentido de gozo, un sentido de ligereza y un sentido de libertad.

El caos es un movimiento y un flujo constantes sin tener un punto de vista fijo, sin juicio de lo acertado o lo equivocado, de lo bueno o lo malo, solo es un movimiento de energía.

¿No es esto emocionante? ¿No es liberador?

¡Celebremos por ti, celebremos por el caos, celebremos por la consciencia y celebremos por las posibilidades que nosotros, juntos, podemos crear!

Congruencia

¿Cuántas veces has tenido esta experiencia, o algo parecido a esto? Ves a un conocido, no a alguien que conozcas de manera íntima, quizá un compañero de trabajo, después de una gran celebración, algo como Navidad o Año Nuevo, o cuando regresa de unas vacaciones de algún lugar maravilloso, por ejemplo Hawái, y le preguntas cómo la pasó. Y te responde "oh fue maravilloso". Solo que no estás tan seguro de que eso sea verdad. Sus palabras dicen una cosa, pero la energía cuenta una historia distinta.

Si preguntaras, "¿*Realmente* la pasaste maravillosamente?" quizá se sorprendan un poco, pero probablemente seguiría diciendo la misma frase de "¡Sí en verdad sí!"

Si te sientes curioso (o un poco travieso) quizá vuelvas a preguntar, y esta vez vacilará, o de plano se derrumbará por completo- y soltará la verdad: "¡No, fue horrible! Mi hermano trajo a su nueva novia y fue muy grosera conmigo y nadie dijo nada, y mi papá fue muy poco cortés con el personal de servicio, y yo estaba muy avergonzado, ¿y sabes qué? Simplemente no encajo en esa familia, y realmente me siento muy solo cuando estoy con ellos y...".

Oh, vaya. Y lo único que se requirió fueron un par de preguntas para rasgar la superficie y llegar a la verdad más allá de las palabras. Por cierto, no estoy sugiriendo que hagas esto cada vez que te encuentres con un amigo o un conocido, aceptar su primera respuesta está bien. Estoy seguro de que tú le has dicho a la gente que estabas bien cuando no lo estabas porque en ese momento no querías entrar a una plática intensa acerca del drama familiar a la hora de la comida.

El punto es que esto demuestra qué tan frecuentemente lo que decimos con *palabras* no coincide con lo que decimos *con nuestra energía*: A menudo estas dos formas de comunicarnos simplemente no son congruentes.

Cuando se refiere a trabajar como un encantador de cuerpos, encontrarás que muy a menudo las personas vendrán a ti y *verbalmente* te dirán por qué han hecho una cita contigo, y lo que les gustaría que cambiaras para ellas, mientras que *energéticamente* dicen algo diferente.

Lo que lo hace un poco más complicado es que nuestros clientes no siempre saben que lo que dicen no es lo que realmente están pidiendo. No es que te engañen a propósito o que escondan algo, es simplemente que aún no tienen claridad de por qué están ahí para verte.

Superficialmente puede parecer que sí la tienen, y quizá estén frente a ti diciendo: "Quiero que alivies mi dolor de hombro" o "necesito ayuda para confiar más en mí" o "realmente quiero mejorar mi relación con mi mamá". Y como piensas que esa es la información que necesitas, ves esto como una luz verde, y que trabajarás sobre esos temas.

Y después... después de la sesión, tienes esta sensación insistente de que no hiciste todo lo que podrías haber hecho por esta persona, y sabes que ella también tiene la misma sensación. A pesar de que se va *algo* feliz, *algo* más ligera, en tu interior sabes que facilitaste como el 50% del cambio que podrías crear para esa persona.

Este es un territorio escabroso para un encantador de cuerpos. Sin la toma de consciencia de que tu cliente no era congruente con lo que pedía, te crees equivocado, cuando la verdad es que simplemente no pudiste tratar su verdadero malestar o llegar a su verdadera solicitud, porque ella ni siquiera la ha reconocido aún.

El asunto es que, muchas personas están fuera de sintonía con lo que requieren porque han pasado toda su vida creando sus deseos conforme a los deseos de los demás, y comprándose sus realidades como propias. Realmente pueden ser aguas muy turbias cuando estás trabajando con alguien que esencialmente es inconsciente de que vive tras una máscara, fuera de contacto con lo que requiere él y su cuerpo. Está cegado por lo que cree que quiere, y eso se interpone a la realidad mucho mayor que podría tener.

Entras ... ¡tú!

Entiende que el universo tiene un sentido del tiempo impecable. La consciencia tiene un sentido del tiempo impecable.

Esta persona está en tu camilla, en un día en particular y en un horario en particular, pagándote la tarifa que tú pediste y eligiendo verte a ti y a nadie más. Hay un lugar a donde puedes llevarla, hay algo que le puedes ofrecer, que nadie más puede. Y ese camino inicia cuando te vuelves congruente con aquello que estás pidiendo.

Toma en cuenta que es muy probable que seas la primera persona en hacer esto con ella, y que si no hicieras nada más que llevarla a tener claridad de lo que realmente está pidiendo, ese sería un regalo enorme, porque una vez que lo vea, o lo perciba, o lo sepa, puede empezar a cambiar su situación actual y a crear algo más. Y por eso es por lo que va contigo, porque tú tienes la capacidad de *verla*.

Una de las principales causas de sufrimiento en el planeta en este momento es que muchas personas no son realmente vistas. Estar dispuesto a explorar el mundo de alguien más quiere decir *entrar a su mundo*, estar con ellas, estar lo suficientemente presente como para decir "Oye ¿sabes qué? Yo *sé* que tú sabes que algo más es posible. Hagamos lo que podamos para crearlo juntos".

¿Cómo se siente esto para ti? ¿Existe la posibilidad de que una falta de congruencia del cliente se haya interpuesto en lo que realmente puedes hacer y crear para alguien? Y si ha sido así, ¿has interpretado erróneamente eso como una falla de tu parte?

> *Todo lo que hayas hecho para hacerte equivocado basado en ese punto de conflicto, basado en no haber llevado al cliente a ser congruente con lo que pedía, antes de que iniciaras el trabajo ¿lo destruyes y descreas por favor?* **Acertado y equivocado, bueno y malo, POD y POC, todos los 9, cortos, chicos, POVAD y más allás.**

Estoy muy contento de poder compartir esta consciencia contigo porque, en serio, antes de que llegara a entender la importancia de la congruencia, me confundía preguntándome por qué ciertos clientes no experimentaban el nivel de cambio que tantas ganas tenía de aportarles.

Pensaba, *bueno esta persona me dijo que quiere una mejor relación con su madre y he usado todas las herramientas de mi caja para ayudarla, y sé que estas herramientas han creado un cambio para cientos de personas, así que ¿por qué esto no está cambiando para ella?*

Empecé a considerar: *¿Qué necesito hacer? ¿Qué necesito ser? Y ¿Qué necesito cambiar para darle a este cliente, y a todos mis clientes, no solo lo que piden, sino mucho más?*

Ahí es donde tomé consciencia de que hay que considerar dos aspectos cuando un cliente me dice lo que le gustaría de nuestro tiempo juntos:

¿Está dispuesto a recibir lo que pide?

Y,

¿Es momento de que tenga lo que pide?

Llegué a darme cuenta de que siempre que el contenido de las palabras de una persona no coincide con la energía que percibo cuando ella dice esas palabras, la respuesta a esas dos preguntas era 'no': O no está dispuesta a recibir lo que pide, o no es el momento de tener lo que pide. Además, lo que las personas *piensan* que piden, quizá no sea lo que realmente están solicitando.

Con esa nueva consciencia pude ver que incluso mi clienta que quería una mejor relación con su madre a largo plazo no era lo que yo debía hacer con ella en ese momento. Ahí había otras solicitudes y requerimientos que tenían que ser abordados primero. En ese momento, había otros deseos y necesidades que atender primero. Este simple cambio en mi consciencia significó que pude asistirla con la razón por la que estaba allí, lo que la llevó a sentir que algo había cambiado dinámicamente para ella, incluso si no era lo que ella había DICHO que deseaba.

¿Cómo sabes cuándo y si el cliente es congruente con lo que pide?

¡Preguntas! Pero esa es la mitad del asunto. La clave está en el percibir. Veamos esto más de cerca.

Pregunta... y percibe

Para descubrir lo que alguien está dispuesto a obtener de ti en una sesión, le preguntas, y después percibes la energía. Después quizá tengas que volver a preguntarle, y percibir de nuevo. Y de nuevo.

Mientras que preguntar es la forma de entrar, percibir la energía que se invoca por la pregunta es como llegas a saber si esa persona está diciendo lo que realmente quiere y está listo para ello.

Entiendo que esto suene un poco intangible, especialmente si eres nuevo en el trabajo con la energía, así que en breve seré más específico y te daré algunos ejemplos de cómo funciona esto para mí.

Primero, déjame tratar de poner en palabras cómo es cuando las palabras de un cliente *sí* coinciden con la energía.

Hay algo que hace clic. Una sensación de '*sí*'. Imagina dos notas musicales que desentonan, que simplemente no van bien juntas, que no armonizan. Totalmente discordantes. Chocan.

Y entonces... cuando hay dos notas que se complementan, crean algo totalmente diferente, que hace sentido, se siente bien, es *armonioso*.

Eso es congruencia, y así es cuando lo que se pide coincide con la energía.

Para mí, la energía que percibo se expande. Hay una ligereza y tengo el sentido de que puedo adentrarme y empezar a trabajar. Es un momento que entusiasma y alegra, es como si el universo hubiera dado el pistoletazo de salida y hubiera dicho "Bien Dain, ¡adelante!"

La belleza de una pregunta abierta

Para obtener esa armonía, esa congruencia, tan pronto como inicia la sesión, te recomiendo que empieces haciéndoles preguntas abiertas a tus clientes, en otras palabras, preguntas que permitan algo más que una simple respuesta de sí o no.

Incluso si viste a tu cliente la semana pasada y le ayudaste a aliviar su dolor lumbar, si empiezas con "Entonces, ¿vamos a volver a trabajar en tu dolor lumbar?", estás empezando con una pregunta cerrada y eso solo les da la opción de responder sí o no, y lo más probable es que diga que sí. Lo que realmente requiere o desea de ti en esta sesión quizá sea totalmente diferente a lo que requirieron la sesión anterior.

Las preguntas abiertas como, "¿En qué trabajaremos hoy?" O incluso solo ¿Cómo estás?" dan a tu cliente la posibilidad de que se abra y comparta contigo justo al inicio de la sesión. Lo que sale de su boca quizá no sea congruente con la razón por la que está ahí, pero al empezar un diálogo te colocas donde puedes empezar a navegar hacia porqué está ahí.

Personalmente yo digo "Si pudieras obtener cualquier cosa de esta sesión ¿qué sería?".

Gary empieza con un simple "Y entonces ¿qué hay? que es una gran manera para que la persona empiece a hablar acerca de lo que está pasando en su vida, y esto la guía a una consciencia de lo que quizá quiera.

Enuncia tu pregunta de la manera en que funcione para ti; juega y ve lo que te llega. Tu trabajo es preguntar y percibir, y ver cómo su mundo empieza a abrirse a lo que quizá sea posible.

En la práctica: preguntar y percibir

Déjame mostrarte un ejemplo de cómo funciona para mí preguntar y percibir. Continuaremos con el ejemplo de hace algunas páginas: la mujer que me dice que quiere una mejor relación con su madre.

Al inicio de la sesión, le pregunto "Si pudieras obtener cualquier cosa de esto, ¿qué sería?" y ella responde "Quiero una mejor relación con mi madre".

Ahora, mientras dice eso verbalmente, energéticamente estoy recibiendo muy poco. Percibo la energía y nada se expande. Nada es ligero y hay muy poco movimiento.

Esta es mi pista de que en este día en particular, esa no es la razón por la que vino verme. Aunque una mejor relación con su madre podría ser algo que ella desea, no es lo que trabajaremos ese día. Ya sea porque aún no está dispuesta a mejorar su relación, o porque no es el momento para que la tenga.

Le pregunto "¿Qué más?" y me responde "Bueno, quisiera cambiar mi situación financiera". Y de nuevo la energía que percibo sigue siendo restringida; el espacio es pequeño.

Le pregunto "¿Qué más?" y esta vez es como cuando la llave gira en la puerta y dice "¿Sabes qué? Lo que realmente quiero es ser *libre*. Quiero ser libre de todas las necesidades y limitaciones y de la idea de que recibir la aprobación de alguien más va a hacer que mi vida funcione. Quiero saber que lo puedo hacer por mí misma".

De pronto la energía pasa de un grano de arena a un cosmos completo, y pum, sabes que llegaste a algo que realmente puedes facilitar. Hemos encontrado oro y ahora hay algo que puedo otorgarle de manera única, y ahí es donde empieza la sesión y hago lo propio.

Mi trabajo es energético, quizá el tuyo no lo sea. Pero si empiezas con el acto de hacer preguntas para llevar a tus clientes a dónde están dispuestos a descubrir *por qué* están ahí contigo, creas un cambio inmediato en su realidad al abrirlos a lo que realmente es posible incluso antes de que empieces a trabajar con ellos.

Tu universo interactúa con el de ellos y ocurre un cambio que probablemente te sorprenda y te vuele la *mente*, y también a ellos.

Ten en cuenta que la mayoría de las personas vienen a ti para crear un cambio basado en la versión más limitada de lo que piensan que pueden tener. No se dan cuenta de que viven en un mundo limitado cuando podrían vivir en un mundo infinito, y tú puedes guiarlas ahí. Les rompes la burbuja de la realidad reducida que se han comprado.

Yo encuentro este concepto muy inspirador porque llegar a la congruencia realmente es tan fácil como estar presente con tus clientes, preguntarles lo que ellos quisieran, percibir eso, y después preguntar *¿qué más?*

Empezarás a crear mucho más para las personas en las que trabajas, y eso hace tu trabajo mucho más gratificante.

Desde ese espacio expandido y pleno, quizá te preguntes: ¿Qué más es posible en mis sesiones? ¿Cuánto más me puedo divertir? ¿Cuánto más cambio puedo crear?

¿Y cuánto más ligero y fácil puede ser para mí y para todos los que vengan *conmigo?*

Estar en la pregunta

El acto de hacer una pregunta es una puerta tan simple y bella para el cambio. Al hacer una pregunta somos capaces de percibir la energía, como hemos explorado en el capítulo anterior, y podemos abrir la puerta para permitir que entre más caos en nuestras vidas, un caos continuo, glorioso, sanador, que genera cambios.

Ahora vamos a ver cuánto más efectivos podemos ser cuando *somos la pregunta*.

Una de las cosas fundamentales que puedes tener en tu consciencia como sanador es mantenerte continuamente en la pregunta. Y no solo al trabajar con alguien, sino en cada momento de tu vida.

Si este concepto de *estar en la pregunta* es nuevo para ti, por favor no intentes entenderlo. Sigue leyendo, déjate llevar por la curiosidad, ve lo que es ligero para ti, y ve lo que descubres.

Así está el asunto: Hacer una pregunta, o estar en la pregunta, o simplemente *ser la pregunta misma* es una de las rutas más rápidas que podemos tomar hacia el cambio, para nosotros mismos y para las personas con las que trabajamos.

Una pregunta nos permite llegar al meollo, o al núcleo, de cualquier situación, en un instante. Las preguntas derriban los muros, permiten que entren la luz y el espacio, *dejan que entre el caos*, y nos permiten ver lo que nos mantiene atascados. Desde ahí podemos deshacer y descrear todo lo que nos limita, y también podemos acceder a las posibilidades de cambio para hacer nuestra vida infinitamente más grandiosa.

Ser la pregunta es un elemento clave para la consciencia, y la consciencia es cuestión de elección. ¿Qué es lo que te presenta más elecciones que una pregunta?

Cuando reconoces que tienes elección es increíblemente liberador, ya sea que te des cuanta por primera vez o por la milésima. Tener elección quiere decir que no estás a merced de nadie ni de nada. Tienes control sobre tu vida y tu vivir, y es algo maravilloso.

Las preguntas son empoderadoras, mientras que las respuestas quitan poder. Las respuestas con concluyentes, como un alto total, un punto, una puerta cerrada. El tema es que todo el mundo busca respuestas. Y el detalle es que usualmente, las respuestas es exactamente lo que nuestros clientes quieren de nosotros.

Lo más complicado es que dar respuestas es usualmente el instinto de un encantador de cuerpos: queremos ayudar, y en el esfuerzo de ayudar quizá tengamos la tendencia a evaluar una situación y tomar decisiones con demasiada prisa. Por ejemplo, al inicio de una sesión podemos intuir que nuestro cliente tiene un problema de enojo, y nos ponemos a tratarlo con las técnicas que favorecemos y que practicamos.

Ahora, nuestra apreciación pudiera ser válida, pero ¿y si no lo es? ¿Qué pasa si hemos hecho una suposición, y por muy educada y arraigada en nuestra formación y nuestra experiencia que sea esa suposición, qué tal si a esa persona le pasa algo más, que no está a nuestro alcance porque no estamos con ella desde el espacio que permiten las preguntas?

E incluso si *estuviéramos* en lo correcto acerca del problema del enojo subyacente, quizá ahora no sea el momento o la sesión para abordarlo. Ya sea que detectamos o no la verdad, cuando nos *lanzamos* y empezamos a sanar sin primero *ser la pregunta*, obtenemos el mismo resultado: frustración y falta de avance para nuestros clientes y para nosotros mismos. En el mejor de los casos, nuestra técnica puede aportar un alivio temporal, del mismo modo que clavar un tornillo en un pedazo de madera puede funcionar por un rato, aunque lo que necesita el tornillo es un destornillador, no un martillo.

Algo que tenemos que notar aquí es que al ofrecer respuestas a nuestros clientes, estamos de nuevo en el territorio de la empatía, la compasión y la devoción como lo platicamos en el capítulo 6. Nuestro objetivo, *nuestro regalo*, se trata de ofrecer elección, y las respuestas no ofrecen elección.

Velo de esta manera: Gran parte de lo que aqueja a nuestros clientes es el resultado de los juicios y las conclusiones que han tomado. Su energía está bloqueada y es sólida, y a menudo sufren mucho. ¿Cuál es la mejor manera de sanarlos? ¿Aportando más solidez a sus cuerpos y a su mundo a través del juicio y la conclusión? ¿O contribuyendo espacio, posibilidades, apertura y elección?

Si hay algo que ha atrapado a más sanadores que cualquier otra cosa, es esto: dar a nuestros clientes *nuestra interpretación* de lo que les pasa, en lugar de hacerles preguntas para que puedan llegar a *darse cuenta por sí mismos* de lo que les pasa.

Cuando das respuestas, y especialmente si esas respuestas mejoran la vida de tus clientes, te vuelves la fuente de esa mejora. Te considerarán perspicaz y perceptivo, y acudirán a ti para obtener más respuestas. ¿Qué tanto empodera esto a tus clientes? No mucho. De hecho, nada.

¿Y qué pasa si tu respuesta, basada en tu consciencia, se desvía aunque sea un 1%? Cargarás a tu cliente con una mentira, y esa mentira podría quedarse con él durante mucho tiempo.

Cuando hacemos preguntas, permitimos a nuestros clientes encontrar sus propias respuestas. Les damos el regalo de una mayor consciencia propia, y este es un regalo que realmente los libera. Y lo que es mejor, dura por el resto de sus vidas.

Hacer preguntas crea más espacio, más libertad, más gozo y más caos. Así es cómo creamos un cambio más sanador y es lo que nos distingue, lo que TE DISTINGUE, como un encantador de cuerpos.

Preguntas y caos

Caos: Ser un catalizador del cambio tiene que ver con el movimiento, el impulso y el flujo y ¿qué mejor manera de mantener el impulso que hacer preguntas y *ser* la pregunta?

Cuando dejas de proveer respuestas, curas y soluciones, puedes practicar desde un espacio más abierto. Nota la diferencia entre:

"Hola. Voy a evaluarte para saber lo que te pasa, y luego, te recetaré la razón por la que pienso que te pasa eso y también te daré la cura".

A comparación de:

"Hola. Estoy aquí para ser la pregunta que te permita descubrir lo que te pasa realmente. Quizá no sea lo que esperas, y muy probablemente no sea algo que alguien ha encontrado antes, pero puedo ofrecerte las herramientas para abrir esa puerta y crear una sanación y un cambio fenomenales".

¿Qué enfoque aporta más y crea más?

Cómo y por qué funciona ser la pregunta

Cuando estamos en la pregunta, podemos percibir las energías sólidas del juicio y las conclusiones, y también los pensamientos, los sentimientos y las emociones atrancados en el mundo de nuestros clientes. Es la manera en la que detectamos lo que crea realmente los problemas en su cuerpo y en su bienestar en general.

Solo podemos percibir esas energías sólidas cuando no tenemos una solidez en *nuestro* mundo, y logramos esto al estar en la pregunta. Hacemos eso cuando no tenemos nada que demostrar, no necesitamos tener la razón, y no tenemos sentido de estar equivocados. Lo hacemos cuando dejamos ir toda necesidad de dar respuestas o de proveer la cura o demostrarle a nuestros clientes y a todo el mundo que somos una buena persona porque en algún lugar pensamos que somos una mala persona…

… ¿Me fui por la tangente aquí o esto te suena conocido? Es una preocupación común para un encantador de cuerpos: la necesidad de demostrar ser suficiente. Si te llegó un atisbo de algo cuando leíste el párrafo anterior, por favor repite este proceso:

Todo lo que eso evocó, y dondequiera que sientes la necesidad de demostrar a ti y al mundo que no estás equivocado ¿lo destruyes y descreas por favor? **Acertado y equivocado, bueno y malo, POD y POC, cortos, chicos, POVAD y más allás.**

Y por favor, reconoce que ERES SUFICIENTEMENTE BUENO, y que tu valor no está conectado al número de personas que ayudas a curar ni al de las recetas que escribes.

En la práctica: Busca el haz de luz

Cuando estás en la pregunta percibes la energía rápida y efectivamente. Tus sentidos se agudizan. Estás alerta de una manera fácil y pacífica, y desde este lugar tu habilidad para percibir lo que sucede realmente con tu cliente se amplifica a un nivel fenomenal.

Así es como puede funcionar. Usualmente tu cliente dirá algo y notarás que tiene un pequeño destello de energía, como un pequeño *trac*, o *bum*, o *ping*, como sea que esto se muestre para ti. Quizá sea como una campanilla que suena, diciendo: "¡Hola, esto es importante!" o quizá sea más visual, como un destello de luz que capta tu atención.

Quizá percibas este haz de luz cuando tu cliente esté a la mitad de la historia, y de pronto tienes el sentido de: ¡ESO! *Eso es lo que necesito saber por ahora.* Sigue en ello, sigue hablando, pero escuchaste o percibiste, algo que va más allá de las palabras. La energía es tu primer idioma, recuerda, y eso es todo lo que requieres.

Lo que percibiste es donde está estancando energéticamente. Al escuchar los resquicios de sonido o los destellos de luz (o algo a lo que no puedes etiquetar) es como empiezas a tener la consciencia de lo que solidifica el cuerpo de una persona, provocado por los puntos de vista que ha adquirido o que ha hecho propios. Si puedes abordar y cambiar esa solidez, puedes devolver el caos que es natural al cuerpo, y desde donde puede estar saludable y feliz.

En los siguientes capítulos narraré más acerca de esta noción de estar en la pregunta y te ofreceré algunas herramientas para llevarte ahí, y también otras herramientas para atravesar todo lo que parece que te mantiene atrancado e incapaz de crear el cambio que sabes que puedes lograr. En este momento solo quiero compartir otra razón por la que tengo este punto de vista de que estar en la pregunta es una maravillosa manera de ser...

¡Es mucho más divertido para ti!

Cuando funcionas en un contexto donde tu único objetivo es dar respuestas, literalmente curas siguiendo los números: Das el paso 1, después el 2, después el 3, después el 4, después... ¡bostezas, bostezas y bostezas! Después de un rato, te sientes como un robot y te aburres en tu práctica y con tus clientes. La mayor parte de ese aburrimiento y esa frustración proviene del hecho que no estás creando el cambio que viniste a crear.

Cuando eres una pregunta, cada momento de cada día te permite explorar nuevas posibilidades con tus clientes, y eso es simplemente mucho más divertido, dinámico y satisfactorio. ¡Y MUCHO MÁS *TÚ*!

Crear sobre la marcha

¿Sabías que la génesis de este libro fue una serie de videos? Desde que hice el primer video, sabía que tenía 8000 herramientas para compartir, pero ¿quién querría ver 8000 videos?

Hice lo mismo de lo que hablo ahora: funcioné como y desde la pregunta al ir haciendo la serie. Aproveché la energía de todos los que la verían y a pesar de que sabía que había algunas herramientas y perspectivas básicas y fundamentales que quería compartir, lo dejé fluir orgánicamente, basándome libremente en lo que tenía en mi caja de herramientas y en lo que sé.

De esa manera, la serie de videos se fue creando sobre la marcha, y creó mucho más que si hubiera escrito un plan detallado de todo lo que tenía que decir para asegurarme de que mi audiencia obtuviera todas las respuestas que buscaba.

¿Y si hicieras lo mismo con tus sesiones?

¿Qué tal que cada dato que te dan tus clientes actuara como una nueva consciencia de por dónde seguir?

Opero en todos los niveles de mi vida desde estar en la pregunta. Cualquier herramienta que he creado, cualquier cambio que he iniciado, cualquier clase que he impartido, cualquier serie que he hecho, cualquier libro que he escrito, ha ocurrido cuando he estado en la pregunta.

Hacer preguntas es la clave para crear el cambio, porque el cambio no sucede desde un lugar de solidez.

Si esta idea de crear sobre la marcha te parece ligera y emocionante, quizá quieras considerar: *¿cómo puedo estar cada vez más en la pregunta en mi vida?*

Capta la sensación de facilidad, de fluidez y de posibilidad que podría presentar y ser cada momento.

¿A dónde te llevaría *estar en la pregunta*? ¿Y si estar en la pregunta te permitiera acceder a experiencias inconcebibles, inimaginables e indescriptibles y a cosas que ni siquiera puedes imaginar?

¿No es eso electrizante?

RECAPITULANDO

Practicar desde la presencia

Antes de ir más lejos, tomemos un momento para ver algunas de las tomas de consciencia y elecciones que quizá hayamos abierto hasta ahora. Ten en cuenta que esta no es una lista de verificación para que te juzgues, es más como una lista de posibilidades.

Hasta ahora …

Quizá estés desarrollando una comunión con TU cuerpo, aprendiendo a preguntarle lo que requiere, y entendiendo que tiene capacidades únicas como receptor psíquico.

Quizá hayas levantado el velo del juicio, y te hayas dado cuenta de lo destructivo que es, y que hayas empezado a elegir algo mucho más grandioso: a estar con tu propio cuerpo y con el de los demás en un estado de permisión.

Podrías estar entendiendo cada vez más que tu regalo como sanador es presentar la elección en el mundo de las personas: Y tus nuevas tomas de consciencia respecto al caos y a estar en la pregunta te guían sobre cómo puedes hacerlo.

En este capítulo, profundizaremos un poco más en cómo *ser* con tus clientes, y también en cómo introducir más caos en tus sesiones, y veremos cómo aprovechar más las capacidades naturales (y tan útiles) de tu cuerpo como receptor psíquico.

Ser con tus clientes

¿Cómo te va con esta idea de adentrarte a un espacio de ser? Si llevas un tiempo trabajando de esta manera, quizá te sientas totalmente cómodo con ella, o puede que te parezca un poco vaga o fuera de tu alcance. Si te consideras un solucionador de problemas o alguien a quien le gusta *hacer*, puede que también te moleste.

Debes saber que crear un espacio de ser con tus clientes es todavía una manera muy activa de iniciar el cambio, y de hecho, es uno de los métodos más efectivos que conozco.

Ser con un cliente es el inicio o el trasfondo de tu práctica como encantador de cuerpos. Incluso, con solo pensar en esta palabra de "encantador" te haces una idea de la naturaleza fácil y sencilla de tu don, y la paz desde la cual puedes operar. Si bien es verdad que tus sesiones y el trabajo que haces pueden ser poderosos e intensos, es tu capacidad de soltar el juicio, y simplemente ser con las personas con las que trabajas, lo que te permite hacer lo tuyo y crear cambios increíbles.

Quizá la forma más sencilla para mí de decirte cómo ser con un cliente es simplemente decirte tanto como pueda ahora mismo, con palabras, en un papel, y tú podrás ver si esto abre algo para ti.

En el capítulo 6 te presenté esta idea de que *ser* con tu cliente es un antídoto para tratar de prescribir, resolver y curar. Así es como lo dije anteriormente:

Tu regalo es ser con tus clientes sin juicio, desde un espacio de cariño total, y ver su brillantez y su belleza. Estar ahí como un espacio de ser que es totalmente vulnerable. Mantente dispuesto a atravesar por cualquiera de las pruebas y tribulaciones que han tenido o están teniendo.

Sé una fuente para una posibilidad más grandiosa, y apóyalos y nútrelos para que reconozcan que tienen el poder de elegir.

Ahora, déjame decirte un poco más.

En la práctica: Cómo simplemente... SER con una persona

Primero, derribo todos mis muros y barreras. Bajo todos y cada uno de los muros en mi mundo. Así es como llego a ese espacio de ser totalmente vulnerable.

Disuelvo toda la resistencia y la reacción, así como cada alineación y acuerdo. Estoy en un estado de permisión y lejos, muy lejos del juicio.

Y simplemente… soy con mi cliente en ese espacio claro, puro y nítido.

Energéticamente, tomo su mano y digo, *hermano, hermana, estoy aquí para ti y estoy aquí contigo. Pase lo que pase, estoy contigo a través de esto.*

Y simplemente soy con él,

y soy con él,

y soy con él.

Percibo lo que ocurre en su mundo, sabiendo que lo que capto allí no es mío. Lo percibo, no lo siento. No lo hago mío. De esa manera, por muy cerca que esté de él, se podría decir que también hay un mínimo de distancia: Y es la distancia la que te permite percibir desde un espacio más neutral, y es ahí donde reside tu poder. Funcionas como un testigo justo, un observador imparcial, y tu fortaleza proviene del hecho de que eliges no involucrarte en lo que le ocurre a tu cliente.

Esto te da el poder de ser lo que percibes. Estás ahí, estás sintonizado, y sabes y entiendes lo que está sucediendo en su mundo, pero no lo asumes como tuyo, y no estás en una posición superior de *te voy a sanar*.

Tomas a tu cliente de la mano energéticamente y avanzan juntos. Piensa en algún momento en el que hubieras apreciado este nivel de compañerismo codo a codo. Sé que hubo momentos en mi pasado en los que el cariño y la presencia de alguien que pudiera estar a mi lado, sin juzgarme, me habrían cambiado la vida. Ser con tu cliente de esta manera deja saber que estás preparado para atravesar cualquier cosa con él: el dolor, el miedo, la duda, los demonios. Sabes que pueden superar eso juntos.

Solos, quizá no. Juntos, es posible.

Y eres con él,

y eres con él.

No te acobardas. Sabes que no estás equivocado, y sabes que lo que percibes no es tuyo. Tú lo respaldas, y aunque dudes de poder ayudarlos, eliges intentarlo.

De pronto, lo que le molestaba, lo que se veía tan terrible y despiadado, lo que estaba seguro de que lo mataría, se disuelve.

Juntos, atravesaron el mundo lleno de los demonios de lo que no podían hacer y lo que no podían ser. Juntos, al estar presentes, al no creer que sus demonios y su dolor eran tuyos, al ver a la persona como el regalo que es, empezaron a disolverlo todo.

Si eliges hacer eso y *ser eso* para las personas con las que trabajas, puedes iniciar un cambio fenomenal en su mundo.

Nunca se volverán a empequeñecer de cara a esos miedos, dolores y dudas.

Y después, cuando estés del otro lado, habla con él: háblale de un cambio en su cuerpo, de un cambio en su psique, de un cambio en su nivel de paz, de gozo y de posibilidades. Háblale del cambio en lo que sabes que pueden lograr ahora en el mundo.

Lo has guiado para encarar su mayor miedo, y el hecho de estar en permisión *con él y para él* es lo que le ayuda a superarlo, y ahora sabe que su mayor miedo nunca puede destruirlo, matarlo o limitarlo de ninguna manera.

Lo acabas de empoderar a que tenga una realidad diferente.

¿No es fantástico? ¿No es por eso por lo que estás aquí?

El caos en la práctica

Caos: ese movimiento infinito y constante de energía. Es pura consciencia en movimiento.

Orden: la solidez de energía. La solidez de cualquier punto de vista que parece inmutable y resulta en dolor, rigidez y enfermedad.

Felizmente, ahora tenemos la consciencia liberadora de que el caos tiene la capacidad de cambiar esos puntos de vista ordenados, fijos o atorados y de liberar a nuestros clientes, y a nosotros mismos, del dolor y la limitación.

Sabes que eres así de brillante, ¿verdad?

Todo lo que no te permite saber que tienes esa consciencia, que tienes esa posibilidad, y que tienes ese nivel de brillantez que te permitirá no creerte los puntos de vista fijos de alguien más acerca de lo que sucede, porque recuerda, un punto de vista fijo es un punto de vista ordenado, todo lo que no te permite tener la consciencia de que no tienes que creerte sus puntos de vista fijos, sino que puedes llegar a un punto de vista de caos que es: "¿cómo puedo cambiar esto con la mayor facilidad?", ¿lo destruyes y descreas por favor? **Acertado y equivocado, bueno y malo, POD y POC, todos los 9, cortos, chicos, POVAD y más allás.**

¿Cómo introducimos el caos a esos sistemas ordenados?

Hacemos preguntas.

Cuando haces una pregunta, introduces una serie de posibilidades diferentes a una realidad ordenada.

Incluso con lo que podría parecer el pequeño acto de empezar tus sesiones con una pregunta abierta para buscar congruencia, introduces de inmediato un poco de caos.

Una pregunta siempre empodera y crea posibilidades diferentes. Una respuesta siempre resta poder y crea menos posibilidades. En primer lugar, claro que las respuestas son lo que crearon el problema. En una respuesta, hay un sentido de *alcanzar una conclusión: un fin.* Sé que sabes que la vida y la consciencia son mucho más que eso.

Cuando trabajes con un cliente, quizá podrías preguntarte:

¿Qué caos podemos ser mi cuerpo y yo para cambiar esto en su cuerpo y en su realidad?

Y otra gran pregunta que es una de mis favoritas:

¿Cuáles son las infinitas posibilidades para esta sesión?

Hacer preguntas te permite abrir puertas que no parecían existir antes, y esto invita a ese caos al mundo de las personas, junto con la sanación, la transformación, el gozo y las posibilidades que van mucho más allá de la disfunción ordenada desde la cual están funcionando.

Muchas personas tratan de ordenar sus elecciones para que existan. Prácticamente todo con lo que trabajarás como facilitador energético surgirá de personas que intentan ordenar sus elecciones para que existan.

No recuerdan cognitivamente haberlo hecho, no tienen ni idea de cómo cambiarlo, y no piensan que haya algo más posible.

Tú les muestras el camino. Al ser ese espacio de ser con ellas, sin juicio, permitiendo que accedan a todas las posibilidades del caos.

Eres de tal manera con ellas que empiezan a tener una consciencia de lo que han elegido. Toman consciencia de que lo han elegido para obtener un resultado en particular. Eres con ellas de tal manera que obtengan la consciencia de que quizá haya una elección diferente disponible para ellas.

En cierto sentido, al ser con ellas, se los comunicas: *Ya no tienes por qué llevar esa pesada carga de orden contigo*. Y una vez que lo reconocen, preguntas *¿cuál sería una posibilidad caótica que podría traer algo diferente a tu mundo?*

En el caos, la introducción de un elemento de cambio en un sistema ordenado puede crear un billón de elementos de posibilidad.

El caos es un movimiento continuo hacia mayores posibilidades. Lo que el mundo requiere ahora mismo son personas que sepan que hay una posibilidad más allá de la solidez y hacia el movimiento continuo.

Personas como tú, querido lector, querido sanador.

Tu cuerpo funciona desde el caos: un ejemplo de la medicina occidental

Hace un tiempo, una amiga mía tuvo algunos problemas de salud que resultaron en que ella tuvo que decidir quitarse o no el útero. Está familiarizada con Access Consciousness y ya había utilizado alguna de las herramientas que comparto contigo en este libro para asistirla en su camino de sanación.

¿Estás pensando que no debería haber necesitado la cirugía porque tiene acceso a todas estas herramientas que cambian el mundo? ¿O que yo podría curar su enfermedad trabajando con ella?

Pues, sí trabajé con ella, e hice algo caótico. Pregunté por el punto de vista de su cuerpo respecto a la cirugía. *Cuerpo,* le dije ¿necesitas la cirugía? ¿Esto te ayudará o te lastimará?

 Recibí una respuesta clara: *Quiero la cirugía, necesito la cirugía, esto es lo que requiero en este momento para asistirme en lo que yo no puedo hacer por mí mismo.*

Cuando le comenté esto a mi amiga, ella dijo que también le había preguntado a su cuerpo y que había obtenido la misma consciencia. De cualquier manera, aún no estaba muy segura, entendiblemente, y se preguntaba si podría cambiar su condición sólo con herramientas de consciencia y de Access.

Mi respuesta fue que sí, que quizá sí, o quizá no, pero que no estábamos ahí en ese momento. Le dije: "En este momento, dadas las condiciones de tu vida en estos diez segundos, tu cuerpo al parecer quiere tener la cirugía".

De nuevo, ella tuvo la misma toma de consciencia, y tomó la decisión de realizarse la cirugía. Después, le quedó una especie de hendidura en el abdomen, y le preguntó al médico si podría hacerse algo al respecto.

La respuesta de su médico fue maravillosa: "Permite que tu cuerpo se encargue de ello. Tu cuerpo funciona desde el caos y se reorganizará exactamente de la manera en que lo requiere. Tu cuerpo sabe lo que hace. Nosotros simplemente le ayudamos".

Eso es un médico genial.

Conversaciones con pacientes terminales

Quiero dedicar un momento para hablar acerca del cáncer, porque cuánto estás al pie del cañón trabajando con las enfermedades, sale mucho a relucir, y puede ser muy intenso, especialmente cuando la persona con la que trabajas ha recibido un diagnóstico terminal.

Estos casos pueden parecer difíciles de manejar porque apelan a tu naturaleza bondadosa, y a tu deseo de ayudar a los cuerpos que sufren. Los diagnósticos terminales son un terreno complicado para un encantador de cuerpos, y es exactamente la razón por la que quiero tener esta conversación.

Lo primero que quiero decir es: Por favor no le prometas a un cliente que puedes sanar su enfermedad, y de hecho cualquier enfermedad. Si quieres decirle algo, puedes decirle que quizá puedas crear un cambio que permita que estén disponibles algunas elecciones diferentes para él.

El cáncer en realidad es orden, a pesar de que los médicos te digan que es caos. El cáncer es el resultado de un punto de vista muy ordenado que se replica en la realidad física y fisiológica del paciente.

Quiero compartirte la pregunta que hago a todos los clientes que tienen un diagnóstico terminal. Quizá quieras probarla si sientes que pudiera funcionar para ti.

Aquí está:

¿Te mueres por escapar de qué?

Ahora, esta pregunta casi siempre provocará una reacción fuerte. Es muy poco probable que alguien le haya hecho esta pregunta a tu cliente antes, y es muy poco probable que sus pensamientos hayan ido alguna vez en esa dirección por lo menos de una manera en la que él se hubiera dado cuenta. Hacer una pregunta como *¿te mueres por escapar de qué?*, casi siempre obtiene una respuesta o una afirmación como "quiero vivir".

Cuando esto sucede, acepto lo que dijo el cliente y agrego: *"Todo lo que no lo permite, ¿lo destruyes y descreas por favor? **Acertado y equivocado, bueno y malo, POD y POC, todos los 9, cortos, chicos, POVAD y más allás"**.*

En otras palabras: haz POC y POD sobre ello.

Y después vuelvo a preguntar: "¿Te mueres por escapar o salir de qué?". Y me responde de nuevo, quiero vivir. Y hago POD y POC a ello.

Y de nuevo pregunto: "¿Te mueres por escapar o salir de qué?", y en esta ocasión quizá me responda algo ligeramente diferente, y hago POC y POD a eso.

Quizá cinco, diez, quince, veinticinco capas después, ocurre algo: Ocurre un cambio. Quizá suene a algo así como: "Oh por Dios, me muero por salir de mi relación".

Eso es excelente para mí y para él, porque por lo menos ahora sabemos la verdad y la consciencia está al descubierto. A menudo, la persona no quiere descubrir ni reconocer ese tipo de consciencia; es demasiado difícil y doloroso de afrontar. Es decir, debe serlo; creó una enfermedad terminal para evitarla.

Pero este es el asunto: esa toma de consciencia del hecho de que creó esto para salir de algo sobre lo que piensan que no tiene elección sobre ello, *esa es la introducción del caos en un sistema ordenado.*

Esa única toma de consciencia le permite finalmente salir del orden, porque el orden le dice que esa es la única elección que tiene. Nunca he visto un problema físico que no tuviera un punto de vista adjunto; nunca he visto un problema físico que fuera solo un problema físico.

La toma de consciencia que tuvo tu cliente como resultado de introducir un elemento de caos (a través de tu pregunta) quizá suene a algo como: "Me sentía tan atorado que estaba dispuesto a morir para salir de mi relación cuando simplemente hubiera podido... salir de mi relación". Eso es el caos en el sistema. Y quizá después, quizá, quizá, si es que está dispuesto, finalmente algo puede cambiar, y el padecimiento o el proceso de enfermedad puede cambiar.

De nuevo, tengo que enfatizar, cualquier cambio que ocurra se basa en su elección. Nunca diría que sané a alguien. Solo diría que le di a la persona la consciencia de que puede elegir diferente para su cuerpo y su futuro.

Profundizar en la capacidad del cuerpo como receptor psíquico

En el capítulo 4: El cuerpo como receptor psíquico, vimos el concepto de que tu cuerpo tiene la capacidad de captar el dolor de otras personas y también sus pensamientos, y cómo el reconocerlo y sintonizarte con eso no solo hace tu vida mucho más fácil, sino que también te coloca a la vanguardia como encantador de cuerpos.

Vimos cómo utilizar esta toma de consciencia en nosotros mismos con la herramienta: "¿A quién le pertenece esto?" y ahora quiero mostrarte como utilizar esta herramienta para mejorar nuestro desempeño como sanadores.

¿Por qué *a quién le pertenece esto* es tan relevante para ti como encantador de cuerpos?

Reconocer que el cuerpo recoge el dolor y el sufrimiento de los demás es un gran cambio para cualquiera que trabaje con el cuerpo de otras personas.

¿Cuántos sanadores del planeta tienen acceso a este tipo de consciencia? Y si la tienen ¿cuántos de ellos tienen las herramientas para ir más allá y realmente hacer algo al respecto?

Hay que tomar en cuenta algunas cosas aquí:

- *¿A quién le pertenece esto? es una toma de consciencia que puedes compartir con tus clientes para que puedan utilizarla en sí mismos, si lo eligen.*

- *Es una herramienta que puedes utilizar al trabajar con ellos, hablaremos más de esto en breve.*

- *También es una herramienta especialmente útil para que tú, como sanador, la utilices CONTIGO: te permite mantener a raya tu capacidad de recoger el dolor y el sufrimiento de otras personas.*

¿A qué me refiero con esto último? Como sanador, ya sea que ejerzas o no, tu cuerpo continuamente trata de sanar los cuerpos a su alrededor, así que es lógico que tu cuerpo ha estado tomando muchas cosas de otras personas por muchos años. Si te expones con frecuencia a las energías de dolor y sufrimiento a diario, quizá hayas absorbido algo de esto sin siquiera darte cuenta.

Como sanador, eres muy consciente de las energías de lo que presentan tus clientes, lo sientes en tu propio cuerpo. Para ayudarte con eso, quiero compartir un aclarador muy útil para todos los que trabajan con el cuerpo de otras personas, y es algo que sugiero utilices de manera diaria.

¿Cuántos de los problemas de tus clientes has fijado en tu cuerpo como una manera de tratar de sanarlos y quitárselos? ¿A quién le pertenece eso? Todo lo que hiciste para creer que es tuyo, todo lo que lo que hiciste para fijarlo en tu cuerpo como si fuera tuyo, todo lo que

> *no te permite soltarlo y reconocer que ellos no lo van a recuperar, ya se los quitaste, ¿lo destruyes y descreas por favor?* **Acertado y equivocado, bueno y malo, POD y POC, todos los 9, cortos, chicos, POVAD y más allás.**

Podrías decir que tu capacidad de tomar el dolor *y sanarlo* es tanto un don como una maldición, pero solo se convierte en una maldición si no reconoces que puede suceder, o si no quieres creer que eso puede pasar, o si te resulta demasiado extraño que eso puede pesar, o si no estás dispuesto a usar esta herramienta con tus clientes.

Veamos eso enseguida.

¿Cómo utilizar *¿a quién le pertenece eso?* con tus clientes?

Hay varias maneras en que puedes utilizar esta pregunta cuando trabajes con el cuerpo de alguien.

Primero, puedes ofrecerle al cliente la consciencia de que el dolor quizá no sea realmente suyo al compartir esas dos claves que te di en el capítulo 4:

Entre el 50% y el 100% de lo que ocurre en tu cuerpo físico quizá no sea tuyo, y el 98% de lo que pasa por tu mente tampoco te pertenece.

Ahora, como seguramente ya lo sabes, no todos en el planeta están listos para este tipo de información, así que úsalo a tu criterio cuando se refiere a decidir quién recibe esta información y quién estará abierto a reconocerla.

Una manera muy sencilla de presentar esto en una sesión es simplemente hacer la pregunta:

¿A quién le pertenece ese dolor de hombro?

¿A quién le pertenece esa tristeza?

Y ver cómo responde tu cliente. Cierto, quizá recibas una mirada confundida, y puedes elegir seguir la corriente si eso va de acuerdo con la situación, o quizá puedas decir: "Bueno, he estado leyendo este raro libro que dice que entre el 50% y el 100% de lo que ocurre en nuestro cuerpo no nos pertenece. Podemos recoger cosas de otras personas; qué interesante ¿no? ¿Quieres jugar con esa posibilidad y ver a dónde nos lleva?".

Si ya elegiste usar esta herramienta en tu propio cuerpo, podrías compartir cómo te ha funcionado, y relatar cualquier cambio que hayas notado como resultado.

Tu principal objetivo es solo ofrecerle la toma de consciencia.

Si la acepta, quizá entienda de pronto de dónde viene su dolor, y si eso sucede puedes decir: "Todo lo que hiciste para fijarlo en tu cuerpo, todo lo que hiciste para tomarlo como si fuera tuyo o adquirirlo cuando no lo es ¿lo dejas ir ahora, por favor?".

Cuando diga: "Sí", puedes decir el enunciado aclarador en voz alta, o en tu mente, depende de ti. "Acertado y equivocado, bueno y malo, POD y POC, todos los 9, cortos, chicos, POVAD y más allás".

Personalmente yo lo digo en voz alta porque todos mis clientes saben que así trabajo, pero como lo dije anteriormente, decirlo en voz muy baja o en silencio funciona muy bien.

En la práctica: ¿A quién le pertenece eso?

Quiero compartir una historia de cómo presenté esta pregunta a un cliente cuando la descubrí por primera vez.

Cuando todavía ejercía como quiropráctico, tuve un paciente con un dolor de espalda insoportable, y lo llevaba tratando varios meses sin crear un cambio duradero.

Cada semana este hombre venía a mi consulta con un dolor que él describía como un ocho sobre diez en una escala de dolor. Trabajaba con él por una hora y el dolor bajaba a un dos o tres, pero siempre volvía a la semana siguiente con el dolor de nuevo a un ocho.

Era increíblemente frustrante hasta el punto de que le recomendé que fuera con otro quiropráctico porque simplemente no podía crear los resultados que él necesitaba, pero él insistía en regresar conmigo. A pesar de que solo podía liberarlo del dolor por un breve periodo de tiempo, era el único alivio que podía conseguir y lo necesitaba.

Eso fue en el periodo en el que empecé a asistir a clases de Access, donde aprendí las herramientas que ahora comparto contigo. Cuando una semana en particular, me presentaron esta herramienta, ¿a quién le pertenece eso? Instantáneamente pensé, *voy a probar esto con el tipo con el dolor de espalda insoportable.*

La siguiente vez que vino a mi oficina le llevó cerca de cinco minutos relajarse lo suficiente para poder subirse a la camilla y acostarse. Una vez que se acomodó como podía, le dije: "Oye, tengo una pregunta rara: ¿A quién le pertenece ese dolor de espalda?".

Se levantó, me miró y me dijo: "¡A mi esposa!".

Ahora, ahí estaba un tipo que hacía unos momentos apenas podía moverse, y ahí estaba, erguido, viéndome como si todas las piezas del rompecabezas se hubieran acomodado.

Resultó que a principios de año su mujer se había hecho mucho daño en la espalda y había estado con un dolor terrible y continuo durante meses. La habían operado y eso solo había empeorado su condición. Este hombre había visto lo que su esposa estaba viviendo, y su cariño por ella era tan grande que pensó: *Haría cualquier cosa por quitarle el dolor a la mujer que tanto amo.*

Su cuerpo estaba escuchando atentamente y tomó nota, y en dos semanas el dolor de su esposa empezó a aminorar, y cuatro semanas después de eso, él empezó a tener dolor de espalda, que empeoró cada vez más, y ningún doctor podía encontrar la cura.

Cuando me lo contó, le dije acerca de la nueva consciencia que había recibido esa semana: Nuestros cuerpos tratarán de sanarse mutuamente si pueden, y tenemos la capacidad de quitarle el dolor a las personas y bloquearlo en nuestro propio cuerpo como manera de sanarlas. Agregué que somos especialmente buenos en eso cuando la persona que tiene dolor es alguien por quien tenemos cariño.

Esta consciencia resonó tanto en él que en la siguiente hora lo pudimos llevar a liberarse en un 98% del dolor, y esta vez los resultados fueron a largo plazo. Aún tiene un tirón que no se va por completo, pero toda su vida cambió, y todo por la aplicación de esta herramienta: ¿A quién le pertenece esto?

La parte esencial de esta información es esta: Si alguien se ha creído que algo es suyo, si tomó el dolor o sufrimiento de alguien más, *no puede cambiar ni sanarlo hasta que reconozca que no era suyo para empezar.*

Eso es lo que sucedió ese día en mi consulta: Un reconocimiento de que el dolor no era suyo permitió el cambio que yo no había sido capaz de iniciar hasta ese momento.

Cuando tus clientes están dispuestos a utilizar la pregunta ¿A quién le pertenece esto? son capaces de limpiar cualquier energía sólida en su cuerpo, y no importa qué técnica utilices, si eres un médico, un quiropráctico, un terapeuta de masaje, un practicante de reiki, un fisioterapeuta, esta pregunta es la puerta de entrada que te permite hacer lo tuyo y crear un mayor efecto.

¿Cómo te sientes al respecto? Es algo que entusiasma ¿No?

Tengo que decir que aún me entusiasmo por esta herramienta porque juega una parte fundamental en crear el cambio para las personas donde otras técnicas no han podido crearlo.

Amigo mío, con esta única toma de consciencia estás en el camino de tener un éxito en tu práctica que nunca pensaste que fuera posible. Más que eso - esta herramienta te permite profundizar y expandir la comunión que estás desarrollando con tu propio cuerpo, y te permite acceder a posibilidades más allá de las limitaciones de esta realidad.

¿Listo para más? Sigue leyendo.

Un nuevo tipo de lenguaje corporal

Como lo hemos visto, cuando estamos no estamos en sintonía con nuestro cuerpo y somos incapaces de reconocer el lenguaje energético con el que se quiere comunicar, y cuando estamos sujetos a los juicios de los demás y los creemos, nuestros cuerpos deben obtener nuestra atención de la única forma que pueden: con dolor, rigidez y enfermedad, simplemente para comunicar cualquier consciencia que no estemos escuchando.

Quiero ofrecerte algunas perspectivas muy prácticas para interpretar los métodos alternativos de comunicación de tu cuerpo: una especie de nuevo lenguaje corporal, por así decirlo.

La belleza de lo que estoy por compartirte es que puedes usarlo en ti mismo y también puedes incluirlo en tu clínica.

Como recordatorio, cuando experimentas cualquier tipo de dolor físico, lo primero que deberás hacer es preguntar *¿a quién le pertenece esto?* y si se aligera, no es tuyo y lo puedes dejar ir. Lo que estamos viendo aquí son más preguntas y herramientas que puedes usar cuando es pesado, en otras palabras, cuando sí te pertenece o lo haces tuyo.

Un gran punto de partida general, si notas o tienes una sensación de pesadez o de intensidad cuando preguntas a quién le pertenece tu dolor, es seguir con:

¿Qué otra pregunta necesito hacer para poder cambiar esto?

Y también,

¿Qué otra pregunta necesito hacer para recibir la información para cambiar esto?

Como siempre, pregunta y percibe, y nunca esperes repuestas inmediatas.

Ahora, seamos un poco más específicos en términos de áreas del cuerpo donde suele haber dolor.

Cuidado: ¡Este nuevo tipo de lenguaje corporal puede ser muy literal! Quizá quieras darte con la cabeza contra la pared cuando te des cuenta de lo claro que nos habla nuestro cuerpo.

Dolor de cuello

Como eres un buscador en un planeta lleno de gente envuelta en juicios y que opera desde la anticonsciencia, puede que te des cuenta de lo literalmente dolorosa que es esta realidad. Sí, un dolor físico en el cuello realmente puede ser el resultado de uno metafórico.

Prueba esto:

Pregunta: *¿Qué o quién es el dolor de cuello que no reconozco?* Y después agrega: "Destruyamos y descreemos eso. Acertado y equivocado, bueno y malo, POD y POC, todos los 9, cortos, chicos, POVAD y más allás".

Haz esto varias veces más porque, como lo acabo de decir, hay muchas oportunidades en esta realidad para que un dolor de cuello metafórico se presente en tu cuerpo. Vuelve a preguntarte: *¿Quién o qué es el dolor de cuello que no reconozco?* Y di el enunciado aclarador completo o solo haz POD y POC de nuevo.

Como siempre, no busques respuestas inmediatas, aunque es posible que las obtengas, solo buscas disolver la energía sólida.

Una y otra vez di la pregunta y el enunciado aclarador y notarás que el dolor de cuello empieza a cambiar.

Dolor de espalda baja

Prepárate para otro mensaje literal del cuerpo. Si experimentas dolor de espalda baja, puedes preguntarle a tu cuerpo:

¿Qué escondes atrás de ti?

¡Sí, de nuevo, puede ser obvio! Este requiere un proceso un poco más largo, porque tantos de nosotros empujamos nuestra luz y nuestra potencial grandeza detrás de nosotros.

> *¿Qué retienes y escondes tras de ti tan dinámicamente que si no lo hicieras, te haría consciente de un nivel de poder, potencia, presencia y capacidad que no estás seguro de poder manejar?* **Acertado y equivocado, bueno y malo, POD y POC, todos los 9, cortos, chicos, POVAD y más allás.**

Este es un proceso realmente maravilloso para permitirte obtener acceso a más de lo que te hace tan maravilloso y único, pero que quizá tuviste miedo de realmente reconocer. Si esta idea se siente ligera para ti, por favor di ese proceso unas veces más y realmente permite que la luz y el espacio entre a tu mundo.

Dolor de rodilla y de pie

Para el dolor de rodilla, puedes preguntar:

¿Qué necesidades decidiste que no puedes aguantar ni soportar?

Para el dolor de pie, pregunta:

¿Qué decidiste que no puedes soportar?

Acompaña ambas preguntas con tantos POD y POC como requieras para que la energía cambie.

De nuevo, todo esto es bastante obvio, casi demasiado obvio o demasiado fácil. De hecho, mucho de lo que comparto con el mundo parece demasiado sencillo, lo cual desanima a algunas personas, ¿eso es medio raro, no? ¿Es este tu caso?

Si es así, quizá podrías empezar por reconocer que cuando algo es verdad, a menudo se nos presenta con un sentido de facilidad. Algo más que tenemos que considerar es que tenemos una tendencia a descartar las ideas o los conceptos que van demasiado lejos de lo que previamente habíamos considerado (o decidido) que puede ser real o verdadero. En ese caso rechazamos precisamente la realidad de las posibilidades más allá de esta realidad hacia la que estamos aquí para expandirnos. Si este es el caso para ti, aquí hay un aclarador y una perspectiva que quizá ayude.

¿Qué energía, espacio, consciencia y elección podemos ser mi cuerpo y yo para tener total facilidad para percibir, saber y recibir toda la facilidad más allá de esta realidad que mi cuerpo y yo somos verdaderamente? **Acertado y equivocado, bueno y malo, POD y POC, todos los 9, cortos, chicos, POVAD y más allás.**

Y... ¿Cuáles he decidido que son los límites de esta realidad que no puedo traspasar, que no puedo experimentar, que no puedo elegir y que me impiden ser los milagros que mi cuerpo y yo verdaderamente somos? **Acertado y equivocado, bueno y malo, POD y POC, todos los 9, cortos, chicos, POVAD y más allás.**

Cualquier molestia, dolor o achaque del lado izquierdo del cuerpo

Para todo lo que experimentes del lado izquierdo del cuerpo, pregunta:

¿Qué intentas hacer acertado que no lo es?

Lo que me parece genial acerca de ponerte en contacto con este nuevo tipo de lenguaje corporal es que hay cierta cantidad de creatividad disponible cuando reúnes estos conceptos.

Digamos, por ejemplo, que tú o tu cliente tienen un dolor en la rodilla izquierda. Puedes reunir dos de estas interpretaciones y preguntar:

¿Las necesidades de quién o de qué intentas hacer acertadas que no lo son?

Usé esta interpretación en particular con un cliente que tuvo una toma de consciencia dinámica de solo hacer esa única pregunta. Ella dijo: "¡Oh, Dios!, mi papá me necesita y odio el hecho de que me necesite y me siento como una mala hija porque me necesita y no lo quiero ayudar porque es un hombre muy malo…".

La belleza de estas preguntas es que te permiten empezar a captar la energía de la historia que se cuentan tus clientes, o de aquello con lo que viven que crea la manifestación física del dolor.

¿Qué opinas de todo esto? Aunque sea solo eso, por favor debes saber que tu cuerpo es mucho más consciente de lo que imaginas.

Cuanto más avanzamos, más nos damos cuenta de que las personas saben lo que hacen cuando crean sus cuerpos. Saben lo que hacen cuando crean sus vidas, y los síntomas que las personas tienen cuando acuden con nosotros realmente son eso, síntomas. Están conscientes de que algo está pasando que necesitan cambiar para poder estar totalmente presentes como ellos mismas. Realmente es así de simple.

Algunas notas respecto a la depresión y la ansiedad

¿Has notado que a aquellas dulces personas que experimentan depresión y ansiedad se les suele etiquetar como las personas 'sensibles' del mundo? Se les avergüenza por su sensibilidad y se les hace sentir que tienen que ser más fuertes, más resistentes y menos emocionales. Pero ¿y si esta supuesta debilidad fuera en realidad una fuente de potencia?

Creo que la sensibilidad es fortaleza. De hecho, creo que todas y cada una de nuestras supuestas debilidades tienen la capacidad de ser una fuente de fortaleza, especialmente cuando somos conscientes de ellas.

He aquí una pregunta que puede cambiar tu perspectiva sobre cualquier rasgo de tu personalidad que tú (u otros) hayan identificado erróneamente como una debilidad:

¿Y si todo lo que pensaste que es algo erróneo de ti fuera en realidad una fortaleza?

Toma un momento para explorar y ver lo que surge.

Usualmente nuestros errores se relacionan con lo que somos demasiado, o no lo suficiente. Por mucho tiempo, especialmente cuando fui niño, me consideraban 'demasiado': demasiado ruidoso, demasiado expresivo, demasiado animado, demasiado entusiasta… y la lista continúa. No fue sino hasta que encontré Access que fui capaz de reconocer que lo que decían que era erróneo, en realidad era una fortaleza natural que poseía. Al replantear mi percepción de esta manera, pude abrir la puerta a mucho más gozo, más facilidad, y mucho más de MÍ. Finalmente exhalé y acogí ser 'demasiado'. Y entonces ocupé el espacio que deseaba ocupar en el mundo, sin un gramo de vergüenza ni de culpa.

Te invito a que te tomes un momento para plantearte esta pregunta. Deja que ilumine cualquier supuesta debilidad que hayas creído cierta.

Aquí está de nuevo:

¿Y si todo lo que pensaste que es algo erróneo de ti fuera en realidad una fortaleza?

Toma un momento para imaginar cómo sería tu vida si percibieras estas debilidades como fortalezas.

¿Actuarías, pensarías, te moverías, hablarías y SERÍAS diferente?

¿Esta nueva perspectiva podría cambiar como funcionas como sanador?

¿Y pudieras compartir estas nuevas tomas de consciencia con tus clientes?

Replantear la narrativa respecto a la salud mental

Esta realidad está llena de esas hermosas almas "sensibles" que se ven afectadas y limitadas por la depresión y la ansiedad. Puede que tú seas una de ellas (los sanadores suelen serlo), o puede que no. Es casi seguro que hay alguien en tu vida -o en tu camilla- que sí lo es. Así que vamos a examinar más detenidamente lo que puede ocurrirle realmente a cualquier persona que viva con depresión o ansiedad, con el fin de profundizar en nuestra comprensión y ampliar las técnicas que utilizamos cuando las personas acuden a nosotros en busca de cambio.

A pesar de que, como sociedad, hemos avanzado mucho en la manera en que vemos y tratamos a quienes padecen problemas de salud mental, sé que podemos avanzar más.

Las personas sensibles no requieren una cura y no están más 'estropeadas' que otras personas. En su lugar, son mucho más CONSCIENTES que otras personas, y en particular son conscientes de lo mal que se sienten muchas personas alrededor del mundo.

Una persona "normal" (como si hubiera tal cosa) percibirá la energía estridente del juicio, de la equivocación, de la pérdida de esperanza y del sufrimiento que experimentan tantas personas en el mundo con un volumen dos en el estéreo de su vida. Para una persona 'sensible', el nivel de volumen se sube a doscientos.

Y usualmente, estas personas son del tipo sanador (sí, como tú) que sienten que hagan lo que hagan, nunca será suficiente para cambiar lo que perciben que ocurre en sí mismos o en el mundo. Sienten todo esto sin darse cuenta de que están percibiendo lo que está sucediendo en el mundo, sin realmente *ser* lo que perciben.

Agrega a todo esto que vivimos en un mundo donde las personas no son vistas como individuos, ni tampoco se les hacen preguntas para que se den cuenta de sus fortalezas únicas. En lugar de ello, se miden de acuerdo con una curva de campana, y las normas de distribución de la media y la mediana, y se les dice que están mal si no encajan en esa caja correcta. Y estas personas potentes, bellas, 'sensibles' nunca encajan en la caja. Siempre son los atípicos.

Junto a todo esto, tenemos que recordar que muy pocas personas son conscientes de que el 98% de los pensamientos, los sentimientos, las emociones, el estrés, la ansiedad, los juicios, la desesperanza y la depresión que experimentan es algo que perciben en el mundo que les rodea.

Reúne todo esto y es fácil ver que esta realidad ha creado una incongruencia dinámica y un sentido de futilidad en el mundo para cualquier persona que lucha contra la depresión o la ansiedad… Una incongruencia que ahora estás más preparado que nunca para contribuir a que cambie.

¿Cómo puede mejorar aún más?

Primero: Dos cosas que puedes hacer hoy si tú mismo te sientes deprimido o ansioso

En un momento voy a explicarte algunas herramientas para trabajar con la gente en tu clínica que vive con depresión o ansiedad, pero antes de que lleguemos a eso quiero ofrecerte dos sugerencias para ti, querido lector, si es que estás luchando con alguna de estas condiciones. Debes saber que no estás solo y que hay personas y herramientas aquí para ayudarte. Yo mismo he recorrido ese camino y te hablo con cariño desde la experiencia.

Lo primero y lo más importante, te recomiendo que tomes una clase de las Barras de Access Consciousness (puedes encontrar los detalles de las clases cercanas a ti en nuestro sitio de internet, que aparece al final de este libro). Una sesión de las Barras de Access es una modalidad energética, una sesión manual que tiene una capacidad fenomenal para llevarte a que dejes ir tus creencias, pensamientos e ideas limitantes. Una clase de barras fue mi punto de acceso a Access y lo recomiendo ampliamente.

En segundo lugar, te encomiendo que uses *¿a quién le pertenece esto?* durante tres días para todos los pensamientos, sentimientos y emociones que experimentes. He mencionado esto antes pero vale la pena mencionarlo de nuevo porque en serio que funcionó muy bien para mí. Regresa al capítulo 4 para recapitular cómo presentarlo o vuelve a leer la sección anterior en este capítulo, 'profundizar en la capacidad del cuerpo como recepto psíquico' el cuál explora más profundamente.

Esta pregunta *¿a quién le pertenece esto?* realmente es la clave para el proceso de cambio. Es algo que te sacará del gran agujero aterrador, que supone la depresión, y es el inicio para acceder a la potencia y al poder dentro de ti para saber que tienes la capacidad de cambiar.

Cuatro formas clave de trabajar con un cliente con depresión o ansiedad

1. Antes que nada, ten consciencia de cómo lo percibes. Como encantador de cuerpos uno de tus dones es la capacidad de reconocer la fortaleza de la persona por debajo de su condición, y en este caso es esencial que reconozcas a la persona que hay debajo de lo que a menudo se manifiesta como depresión.

2. Presenta la idea a tu cliente de que su 'sensibilidad' es un poder, no una debilidad.

3. Infórmale del concepto detrás de ¿a quién le pertenece esto? (que el 98% de los pensamientos, sentimientos y emociones NO son suyos, y que en realidad percibe). Realmente anímalo a que use la herramienta. Tenemos una aplicación para telefonía móvil gratuita, *"¿A quién le pertenece esto? (Who Does This Belong To?)". Simplemente busca* "Access Consciousness Who Does This Belong To?"

4. Este punto realmente tendría que ser el primero. La manera más poderosa en la que puedes iniciar el cambio para alguien que está lidiando con depresión o ansiedad es *ser tú mismo con el otro, sin juicio.*

Puedes hacer eso fácil y naturalmente.

Lo sé.

¿Es momento de que TÚ lo sepas?

¿Viste? Realmente estás mucho más preparado de lo que piensas.

Simplemente por SER TÚ.

Llevar a un cliente de cansado a ilimitado

Dependiendo de tu formación y del tipo de trabajo que realices con el cuerpo de las personas, quizá tengas un conjunto de suplementos y procesos a los que recurres automáticamente para determinadas circunstancias. Por ejemplo, algunos practicantes creen que si un cliente presenta problemas de ira, hay algo que le sucede en el hígado, así que trabajan en procesar al hígado para las emociones como manera de asistir con ello. De igual manera, algunos practicantes ofrecen suplementos suprarrenales para aquellos clientes que tienen letargo y baja energía.

Aunque no hay nada de malo con las dos opciones, ¿y si en su lugar simplemente hicieras esta pregunta?:

Cuerpo, ¿qué requieres para tener la energía que deseas?

Lo bello de esto es que realmente le puedes preguntar al cuerpo, no tienes que preguntarle verbalmente al cliente. En silencio haz la pregunta y haz el aclarador:

> *Cuerpo ¿qué es lo que requieres para tener la energía que deseas? Todo lo que no lo permite ¿lo destruyes y descreas por favor?* **Acertado y equivocado, bueno y malo, POD y POC, todos los 9, cortos, chicos, POVAD y más allás.**

Cuando estás presente con una persona y su cuerpo, reconocerás que su cuerpo comunica diferentes cosas que la persona, simplemente tienes que estar dispuesto a preguntarle.

¿Por qué prevalece tanto el cansancio en nuestra sociedad?

En realidad, es simple: Todos los juicios, las decisiones, las conclusiones y las computaciones que hacemos diariamente, literalmente trabajan para obstruirnos, impedir que nuestra energía tenga ese flujo libre que desea ser naturalmente. El resultado: cansancio, letargo y energía baja, muy baja.

Intenta esto: Realiza este proceso con todos los clientes que evitan acceder a la energía ilimitada:

> *Todas las decisiones, los juicios, las conclusiones y computaciones que tienes o que adquiriste de los demás e hiciste tuyas, ¿lo destruyes y descreas por favor? **Acertado y equivocado, bueno y malo, POD y POC, todos los 9, cortos, chicos, POVAD y más allá.***

Junto con la enorme cantidad de juicio, el otro gran creador de la baja energía viene del hecho de que tantas personas quieren salir de la manera en que su vida es ahora.

Intenta esto: Pregúntale esto a un cliente que experimente energía baja: "¿Qué tal va tu vida?". Quizá le sorprenda un poco la pregunta si es que no espera que un practicante alternativo le hable acerca de cualquier otra cosa que no sea su queja principal, pero usualmente (como lo vimos en el capítulo 8: congruencia) una pregunta abierta como esta puede funcionar para abrir una puerta al verdadero problema y a la verdadera razón por la que fue a consulta contigo.

Lo que pudieras recibir como respuesta es algo como "Estoy sumamente cansada. Tengo cuatro hijos por los cuales velar y un esposo ocupado, y simplemente estoy muy estresada. No sé cómo hacer para que el dinero rinda para fin de mes, y las cuentas por pagar están por vencer, y mi esposo simplemente no quiere hablar de ello. No tengo nada de energía".

Esto es bueno, y puede mejorar.

Déjame darte una pregunta que le podrás hacer a esta clienta, y a todos tus clientes, para empezar a desbloquear la consciencia y cambiar su cansancio. ¿Estás listo? Es tan sencillo que (en el mejor de los casos) pondrás los ojos en blanco o (en el peor) lanzarás el libro al otro lado de la habitación.

Aquí la tienes:

¿De qué (o quién) estás tan cansado?

Sí, en serio.

Ahora bien, la primera vez que uses esta pregunta en una sesión, quizá necesites preguntar un par de veces, pero quizá lo que descubras es que la mujer con cuatro hijos y el esposo que no se comunica quizá diga, después de un instante o dos, algo como: "¿Sabes qué? Estoy cansada de limpiar el desastre de los demás. Básicamente estoy cansada de ser la responsable".

Y bingo: Hay algo en lo que puedes trabajar con ella.

¿Te puedo preguntar algo querido lector?

¿Cómo son tus niveles de energía? ¿Estás cansado a menudo?

Afrontémoslo, la mayoría de nosotros no siempre tenemos la energía que nos gustaría tener y la energía que por derecho nos corresponde. ¿Te gustaría utilizar esta pregunta en ti mismo?

Aquí está:

¿De qué (o de quién) estás cansado que no quieres reconocer?

Ahora capta lo que surge con eso. Recuerda, no necesitas respuestas definitivas. Jamás. Solo necesitas estar lo suficientemente abierto como para hacer la pregunta.

¿De qué estás cansado que no quieres reconocer?

Ahora hazlo con el enunciado aclarador:

> *¿De qué estás cansado que no quieres reconocer? Todo lo que eso es, ¿lo destruyes y descreas, por favor?* ***Acertado y equivocado, bueno y malo, POD y POC, todos los 9, cortos, chicos, POVAD y más allás.***

Cuando planteé esta pregunta en la serie de videos en la que se basa este libro, la hice cinco veces porque realmente quería que los participantes se aligeraran con esto, y que empezaran a obtener un cambio de ello, porque ¿cómo vas a tratar de llevar ligereza a otras personas si no la tenemos nosotros mismos?

¿Tiene sentido? Creo que sí.

De nuevo:

> *¿De qué estás cansado que no quieres reconocer? Todo lo que eso es, ¿lo destruyes y descreas por favor?* **Acertado y equivocado, bueno y malo, POD y POC, todos los 9, cortos, chicos, POVAD y más allás.**

¿Notas que te sientes un poco más vivo? Para mí cada vez que uso esta herramienta, es así. Su impacto nunca disminuye.

Nota cómo cada vez que te haces esa pregunta y haces ese aclarador, quita un pedacito de ese cansancio, y un poco más, y un poco más. Después de tres, cuatro o cinco veces quizá descubras que ya no estás cansado.

Date cuenta de que la mayoría de las personas que caminan en el planeta están cansadas de todo, *todo el tiempo.* Si puedes iniciar un cambio en este ámbito, las personas vendrán por montones a tu clínica.

Simplemente pregunta, *¿de qué o de quién estás cansado? ¿Lo destruyes y descreas?* Y después di el enunciado aclarador, de nuevo puedes decirlo en voz baja o en voz alta, es tu decisión.

Recuerda que no buscas que tus clientes respondan verbalmente a esta pregunta ni a ninguna otra. El enunciado aclarador hará su milagro de volver al punto donde, en un principio, crearon el problema, y eso es algo que quizá no recuerden.

¿De qué estás cansado que no reconoces? es una de las herramientas más dinámicas que puedes ofrecer para cambiar la carencia de energía que tienen las personas. Es la manera más rápida de deshacer todo el juicio, la conclusión, la decisión y la computación que simplemente nos arrastran.

Quiero tomarme un momento para decir que esta pregunta, y todas las preguntas que te sugiero en este libro, pueden verse como un punto de partida. Están incluidas porque me parecen efectivas y yo he tenido resultados con ellas, pero al usar estas preguntas naturalmente harás otras que se adapten a ti y a tu práctica. Experimenta y explora lo que te funciona. Y recuerda que una pregunta siempre es acerca de abrir un camino hacia una posibilidad diferente.

Tus clientes no saben que hay una posibilidad diferente hasta que te conocen. Tus preguntas crearán posibilidades que no sabían que podían existir. Y tú serás uno de los mayores regalos en su vida.

Se trata de la persona en la camilla de masaje

Si eres un encantador de cuerpos que practica desde la consciencia, para que estés en permisión de todo lo que te presente tu cliente, y no juzgas y estás en la pregunta, entonces por favor cree esto: Cualquier bloqueo que surja durante una sesión, cualquier sentimiento raro, viene de la persona en la camilla o en la silla: tu cliente, y no viene de ti.

Incluso cuando lo que surge parece realmente tuyo, realmente, realmente *no lo es.*

Saber esto y reconocerlo, ¡es algo sumamente liberador! Lo que percibes es parte de tu capacidad, parte de tu regalo como encantador de cuerpos.

Veamos un ejemplo. Digamos que estás a la mitad de una sesión y de pronto te sientes muy inseguro acerca de lo que estás haciendo. Hace un momento estabas en pleno flujo, haciendo lo que haces, y entonces… una nube desciende, y de pronto piensas: *No puedo hacer esto. No soy suficientemente poderoso.*

Este sentimiento se sentirá que viene de ti, y quizá incluso te resulte familiar, incluso personalizado, hasta el punto en que lo asocies con un momento en específico en tu pasado cuando experimentaste impotencia o inseguridad.

Esto se siente exactamente como cuando mi papá dejó a mi mamá.

Esto se siente exactamente como cuando mi maestra de bachillerato dijo que no lograría nada en la vida.

Por muy convincente que parezca, sabes que si ejerces desde la presencia y la permisión, donde no hay juicio, ni te alineas, ni estás de acuerdo, ni hay resistencia ni reacción, ese sentimiento de impotencia e inseguridad es algo que tu talentoso y dotado cuerpo de esponja percibe de la persona en la camilla.

¿Ves que tan maravilloso y útil es esto? Percibes por lo que pasa y ahora te puedes poner a trabajar en ello. Fuiste guiado exactamente a donde tu cliente está atorado, y es probable que nadie más en el universo ha ido a ese lugar con él antes de ti. Y, si ha sido así, lo más probable es que haya retrocedido y se haya cerrado porque lo asumió como propio.

Cada vez que trabajes con alguien y sientas de pronto algo como inseguridad, impotencia o mi favorito (¡no!) te sientas como si estuvieras en una habitación blanca, con paredes blancas y sin ventanas ni puertas y sin forma de entrar ni de salir… solo juega con esta idea:

¿Y si fuera suyo? ¿Qué tal que es eso lo que mi cliente está experimentando?

Esto es que energéticamente te das cuenta de lo que pasa en su mundo. *El otro* es quien se siente inseguro, o impotente, o en blanco. Esta es la forma en que su cuerpo y el universo trabajan para darte esa energía para que puedas trabajar con él para crear algo mucho más grandioso de lo que puede acceder y crear por su cuenta.

Por eso está ahí contigo: para tratar de ir más allá del muro que no sabe cómo atravesar por su cuenta.

Míralo de esta forma: Todos somos parte del universo. Nuestras moléculas se comunican entre sí todo el tiempo. Su mundo está interactuando con el tuyo y cuando reconoces lo que sucede, y cuando reconoces que no estás separado del otro ni del universo, entiendes que estás captando la energía de lo que requiere. ¡Así que se acabó asumirlo como propio!

Fue tan liberador cuando finalmente lo capté. ¿Está creando un cosquilleo de libertad para ti también? Estoy seguro de que no puede ser así de fácil… ¿o sí?

Esta es la maravilla de lo que se siente cuando una sesión de sanación realmente funciona, tanto para ti como para tu cliente. Cada sesión tiene su propia ruta o camino, y al aventurarte en ella, desbloqueas capas y capas para descubrir lo que tu cliente requiere. Es increíble cuando esto pasa, y también son tus brillantes capacidades las que permiten que suceda.

Date cuenta de que es posible que tu cliente no pueda hablar de lo que requiere. De hecho, es probable que ni siquiera sepa que está ahí. Al reconocer que aquello de lo que te diste cuenta es de él, te mantienes presente junto con él, y desde ahí puedes facilitar un cambio.

El peligro viene cuando nos creemos la noción de que es nuestra inseguridad la que nos ha desviado del camino, y pensamos que, de alguna manera, estamos fracasando.

¿Te suena familiar? Di esto:

> *Dondequiera que te hayas hecho equivocado, porque no crees que eres suficientemente bueno como sanador, porque, afrontémoslo, nos juzgamos muchísimo, más de lo que nadie más lo haría o podría hacerlo, ¿destruyes y descreas eso y todos los juicios, todas las invenciones, todas las mentiras que creíste, todas las proyecciones, todas las expectativas, todas las separaciones y todos los rechazos de ti y de tus capacidades que hayas hecho con ello, ¿lo destruyes y descreas por favor?* **Acertado y equivocado, bueno y malo, POD y POC, todos los 9, cortos, chicos, POVAD y más allás.**

Cuando detenemos la energía

Si estás a la mitad de la sesión y de pronto te crees la idea de que no eres suficiente, o si dudas de tus capacidades para iniciar un cambio, detienes la sesión efectivamente. Detienes la energía, y detienes el cambio milagroso que estabas en el proceso de facilitar.

Por favor. Lee ese párrafo de nuevo.

Quizá te sientas como si un muro se hubiera erigido, o de pronto quizá se sienta como si vadearas melaza (que, por cierto, así es como le dicen los británicos a lo que vive en la fosa séptica). La manera más rápida de lidiar con esto es preguntarte:

> *¿Este mi atasco o el suyo?*

Después, *¿Será que tengo exactamente la energía de dónde él está atorado? ¿O tengo la CONSCIENCIA de la energía exacta en donde él está atorado?*

De pronto hay un cambio de:

> *¡Oh, Dios! ¡Estoy atorado!*

A

> *Ah, ¡aquí es donde ÉL está atorado! Genial.*

Ahora te toca facilitarlo para ir más allá de ese lugar, y la energía fluye de nuevo. (Para algunos de ustedes, esta toma de consciencia, si la usan, ¡vale lo que pagaste por este libro!).

Sentimiento vs consciencia

Nota la diferencia entre estos dos enunciados:

Me siento impotente.

Y

Soy consciente de una sensación de impotencia.

El primero es personal porque asumes la impotencia y te la atribuyes a ti mismo. Te *sientes* contraído y pequeño.

En este momento, solo toma un momento para imaginar la energía de la impotencia y la inseguridad. ¿Notas qué tan pequeño y contraído se vuelve tu mundo?

El segundo enunciado, Soy consciente de una sensación de impotencia, es más objetivo; hay un paso hacia atrás, hay un poco de distancia. Eres consciente de la impotencia. Das un paso a un lado que te permite hacer tu trabajo.

Desde ese lugar te apartas y te haces más grande, y te puedes dar cuenta de lo que eres consciente, y preguntarte ¿qué puedo hacer y qué puedo ser para cambiar esto para él?

No te voy a decir cómo deberías hacerlo, pero puedo compartir contigo cómo lo hago yo y, como siempre, te invito a que lo pruebes.

En la práctica: Ser la energía que percibo

Esto es lo que a mí me funciona. Esencialmente, *soy* lo que percibo. *Soy* algo que abarca este universo de lo que atraviesa mi cliente. Así que, si ha levantado un muro, yo soy el muro.

Entraré a más detalles describiendo un escenario.

Estoy a la mitad de una sesión con un cliente, la energía se está moviendo y estamos explorando estos universos y posibilidades y las cosas se están expandiendo, cambiando, moviéndose y expandiéndose y estoy pensando en lo genial que es esto y entonces... imagina que me mueven el piso, o que me pinchan un globo, o que derriban un muro de ladrillo justo frente a mí, prácticamente en mis narices... y la energía simplemente... se detiene.

Hace años, antes de que tuviera la consciencia de que toda gira en torno a la persona que está en la camilla, inmediatamente me sumía en pensamientos como estos: *oh, Dios, ¿Qué estoy haciendo mal? ¿Qué estoy siendo mal? ¿Qué detuve aquí? ¿De qué me perdí? ¿Qué no hice?*

Básicamente, personalizaba lo que percibía y me echaba la culpa. La verdad, esto me pasó numerosas veces antes de que lo entendiera hasta tal punto que ahora puedo compartirlo contigo. Estoy tan contento de poder compartirlo, espero que tú no tardes tanto en que te des cuenta.

Este momento llegó cuando hablé con Gary al respecto. Le expliqué que había un cliente en particular con quien trabajaba, y cómo, a la mitad de mis sesiones con él, se erigía un muro y yo me quedaba atorado sin saber que hacer, y una vez que se levantaba el muro, no podía averiguar a dónde ir ni cómo pasarlo.

Y Gary me preguntó "Ese muro ¿Es tuyo o suyo?".

Y yo dije ¡Mi*rda!

Hasta ese momento supuse que era mío. Realmente se sentía como si fuera mío. ¡Muro tramposo, astuto y taimado! Todo el tiempo había sido de mi cliente. Claro que lo era, porque cuando lo reconocí, sabía que estaba practicando desde la presencia, sin juicio y en permisión.

¿Has tenido alguno de esos momentos donde simplemente quieres gritar y hacer explotar el universo porque te diste cuenta de algo tan grande y tan obvio que piensas que deberías haber podido descubrirlo por tu cuenta? Pero no lo hiciste, hasta que alguien te hizo una pregunta. Fue básicamente así.

Por cierto, ¿no es maravilloso lo a menudo que sucede así? ¿Lo a menudo que una pregunta desbloquea la consciencia exacta que necesitas? Yo pienso que sí.

Estuve tan agradecido por esa nueva consciencia, *le pertenece a la persona en la camilla,* y con esa consciencia y ese reconocimiento estaba en condiciones de facilitar el cambio para este cliente. Así es como sucedió.

En mi siguiente sesión con este hombre y su muro, empecé con mi pregunta habitual para que él fuera congruente. "¿Si pudieras obtener cualquier cosa de esta sesión, qué sería?" y él dijo "Yo solo quiero ser feliz y libre, quiero sentir que estoy conectado con las cosas".

La energía era congruente con la petición, así que pensé: "¡Genial! Hagámoslo". Y entonces, en el punto habitual de nuestras sesiones se erigió el muro. Esta vez, en lugar de huir y ponerme en plan: "oh por Dios, ¿qué me pasa?" y detener efectivamente la energía de lo que estábamos creando, me convertí en la energía del muro.

¿Cómo? Bajé todas mis barreras y me acerqué al muro, y energéticamente dije "Hola".

Me quedé parado frente al muro y me convertí en el gorila de 5000 kg de la habitación.

El muro, por supuesto, no se iba a derrumbar y disolver inmediatamente. Era un gran muro, terco y persistente. El muro y yo tuvimos un tira y afloja que fue algo parecido a esto:

El muro: ¡Soy un gran muro y te tienes que ir!

Yo: Genial. Fantástico. Eres un muro impresionante. Hola.

El muro: No, ¡no entiendes! Yo soy un gran muro malo y si vas más lejos, te mataré.

Yo: Genial. Estoy listo. Hola.

El muro: No ¡Eres terrible! Eres pequeño. No deberías estar aquí. Vete.

Yo: Genial. Hola.

El muro probó todos los trucos que conocía para mantenerme alejado, lo cual, pronto me di cuenta, era exactamente lo que la persona hacía: tratar de mantenerse fuera de su propia vida y mantener a otras personas alejadas y fuera de su vida.

Me mantuve firme a pesar de todo lo que intentó el muro, respondiendo principalmente con un "¡Hola!" hasta que... finalmente... el muro simplemente... se disolvió.

Y entonces... hubo una sensación palpable de que la energía cambio en el mundo del cliente. No solo cambió, sino explotó, inició, aceleró.

¿Recuerdan lo que pidió al inicio de la sesión? "Solo quiero ser feliz y libre y también me quiero sentir conectado con las cosas". Cuando se derrumbó el muro, esta persona saltó energéticamente fuera de su pequeño y contraído mundo, del cual me había pedido que lo sacara, y aumentó su gozo, aumentó su sentido de conexión, y se liberó. ¡Fue taaaan bello de percibir!

Ya sea que lo supiera cognitivamente o no, él había erigido ese muro. Era lo que le impedía ser esa conexión que pedía.

Simplemente al estar con el muro, al bajar mis barreras y decirle "hola" a cada insulto, a cada grosería, a todo lo que tenía ese muro en su arsenal para lanzarme, se disolvió, y después vino un profundo sentido de paz en el mundo de este hombre, y respiró muy profundamente. Fue intenso, de una manera brillante. Puse mis manos en su cuerpo de nuevo y fue como si mi mano se fundiera en su mundo.

En cualquier momento que experimentes esos sentimientos de inseguridad, de duda, de miedo, de constricción durante una sesión, ahora tienes las herramientas para superarlos. Y sí, no es más complicado que eso. Recuerda, esto es transformar (o sanar si lo prefieres así) desde el SER.

Recapitulando…

Ejerces desde la permisión, donde todo es solamente un punto de vista interesante. Estás en la pregunta, donde fluye el caos.

Surge la mayor inseguridad o miedo de tu cliente, y sabes que sin importar cuánto se sienta como *tu* mayor inseguridad o miedo, no lo es.

Al reconocer que es suyo te mantienes presente, bajas tus propias barreras todavía más, y te quedas ahí, a su lado, y eres la energía de lo que estás percibiendo, o implementas la modalidad que funcione para ti. Ser la energía funciona para mí.

Esencialmente, estás siendo la energía con y para el otro que éste no puede ser consigo y para sí mismo.

También puedes usar las siguientes preguntas:

¿Qué pregunta puedo hacer para asistirlo a cambiar esto?

¿Qué pregunta puedo ser que lo asistirá a que cambie esto?

¿Qué pregunta puedo hacer y qué pregunta puedo ser que le asistirá a cambiar esto?

Tu don es ser algo que nunca ha podido ser para sí mismo, pero que juntos están en una posición única para asumir.

Por favor reconoce que las personas que acuden contigo lo hacen porque hay algo que tú, y solo tú, puedes facilitar para ellas. Acuden contigo por el cambio que puedes regalarles. Vienen a ti porque hay una interacción única entre tú y el otro y hay una facilitación única que tú puedes hacer, que nadie más en el planeta puede, incluyéndome. Acuden a ti porque tú eres quien puede contribuirles.

¿Cómo puede ser eso más bello y fantástico que eso?

Cuando estás atorado

Ya sea que tengas una clínica desde hace un día o una década, llega un momento en tu camino como encantador de cuerpos en que tienes un sentido de que no estás creando el cambio que sabes que puedes crear. Quizá tu trabajo se empieza a sentir como una tarea pesada, o empiezas a notar que estás muy apagado, o te frustras con tus clientes por lo que eligen o por lo que no eligen. Como lo veas, simplemente ya no te entusiasma.

Créeme, he pasado por eso, y estoy aquí para decirte: No pasa nada. *Por supuesto* que puedes revivir ese fuego. Usualmente es fácil, cuando haces las preguntas adecuadas. Aquí tengo cinco preguntas de gran alcance para ti, algunas de ellas tienen otras preguntas por debajo, todas con la capacidad de iniciar esa chispa y reiniciar el fuego.

Veamos cada gran pregunta por separado.

1. ¿Te resistes a tus capacidades?

Puede parecer una pregunta extraña a estas alturas del libro, pero para cualquiera que no trabaje al máximo de su capacidad como sanador, yo empezaría por ver si hay algo de resistencia. En particular preguntaría: *¿Podrías estar resistiendo tus capacidades, tus talentos y tus dones de alguna manera?*

Para muchos encantadores de cuerpo, no es su primera experiencia, han sido encantadores de cuerpos en vidas y encarnaciones previas, tanto si eran conscientes de lo que hacían entonces como si o no.

¿Es posible que hayas tenido una experiencia en una vida previa en la que tu naturaleza sencillamente empática te hiciera asumir tanto dolor y sufrimiento que decidieras que era demasiado doloroso ser sanador, demasiado doloroso tener tanto poder, demasiado doloroso tener tanta consciencia?

¿Es posible que hayas decidido *nunca haré esto de nuevo*?

Si eso es ligero para ti, primero que nada, por favor, reconoce que eso fue entonces, y esto es ahora. Ahora tienes mucha más consciencia disponible.

> *Todo lo que se hizo para que decidieras que no querías ser un sanador, que no querías ser empático, que no querías tener tanto poder, que no querías tener tanta consciencia ¿destruyes y descreas todo eso por favor?* **Acertado y equivocado, bueno y malo, POD y POC, todos los 9, cortos, chicos, POVAD y más allá.**

Sin importar lo que hayas pasado en cualquier vida, incluso si caminaste a través de lugares donde explotó una bomba nuclear, y el hecho de sanar a otros te requirió tanto que tu cuerpo murió dolorosamente y te llevó a decidir, *no quiero volver a hacer esto nunca más*, por favor no permitas que esa sea la razón por la que abandones la habilidad y el don que tienes naturalmente como ser en esta vida.

¿Cómo puedes darle la vuelta a esto? En lugar de pensar, *no quiero hacer esto, no quiero sentir esto, no quiero ser así de consciente,* y si en lugar de eso te permitieras decir:

¿Sabes qué? Sí, tuve algunas experiencias en el pasado que quizá me hayan hecho querer parar esto, pero en esta vida voy a hacerlo, voy a serlo. Voy a reivindicar y asumir mis capacidades de sanación para saber cómo usarlas para que mi cuerpo no tenga que doler. Para que no tenga que sentir que estoy solo en este mundo, y para hacer lo que vine a hacer aquí.

Todo lo que no permite eso, en otras palabras, todo lo que no te permita reivindicar y asumir tus capacidades de sanación y la brillantez que implican, dondequiera que hayas decidido renunciar a eso como si eso, de alguna manera, te liberará de esta cosa que haces de asumir el dolor y sufrimiento de los demás, y dondequiera que hayas decidido que es demasiado, que es demasiada consciencia, que es demasiado poder, que no lo quieres hacer, por favor ¿lo destruyes y descreas? **Acertado y equivocado, bueno y malo, POD y POC, todos los 9, cortos, chicos, POVAD y más allás.**

La razón por la que te dedicaste a la sanación en un primer momento, la razón por la que tomaste este libro, la razón por la que ya has leído hasta aquí es para reconectar con la magnificencia de ser capaz de regalar a otras personas una posibilidad diferente en sus vidas, y la magnificencia de ser capaz de cambiar el dolor de las personas y ayudarles a eliminar el dolor.

Y… más allá de eso, quizá…. contribuir realmente a crear un mundo de posibilidades… magia… milagros… y gozo…

¿Puedes reconocer eso? Eres tan brillante, y tanta luz. Gracias por estar aquí. En este bello planeta. En este momento.

2. ¿Estás en la pregunta?

Siempre que estés en una sesión y de pronto te atoras, y sepas que no estás creando el cambio que sabes que puedes crear, acude a la pregunta. Siempre. Rápidamente entra en contacto contigo: *¿Estoy sanando desde la pregunta? ¿O simplemente estoy buscando respuestas?* Recuerda, las respuestas, las curas, las conclusiones, todas ellas tienen una energía muy sólida y el cambio ahí es poco probable.

Por otro lado, las preguntas ofrecen espacio, expansión y posibilidad. Desde ahí consigues percibir esas áreas de solidez en el cuerpo con el que estás trabajando.

Aquí hay algunas sugerencias de preguntas para esos momentos donde te sientes atorado:

¿Qué pregunta puedo hacer aquí para llegar a la consciencia y que pueda facilitar a esta persona?

¿Qué pregunta no estoy haciendo que si la hiciera me permitiría asistir a esta persona?

¿Qué más es posible?

¿Qué es posible más allá de esta realidad que pienso que no es posible, que si simplemente permitiera la posibilidad se actualizaría una realidad diferente, más grandiosa?

¿Cómo puede mejorar esto aún más?

¿De qué soy consciente, y de qué soy capaz, que no he elegido ni reconocido para permitir que esto cambie?

Cada vez que te sientas confundido, como si alguien te hubiera arrebatado todo tu poder y tu don simplemente te hubiera abandonado y que no pudieras recordar las preguntas que acabo de sugerir y todo se sienta muy grande y aterrador, no pasa nada. Tengo cuatro simples preguntas para ti que son fantásticas. Te recomiendo ampliamente que tengas estas cuatro preguntas en tu arsenal listas para usar en cualquier momento, para cuando trabajes con personas, y para cuando navegues por la vida y simplemente no estés seguro de cómo avanzar o superar una situación complicada.

Aquí están:

¿Realmente qué es esto?

¿Qué hago con esto?

¿Lo puedo cambiar?

Y si es así, ¿cómo lo cambio?

Lo que hacen esta cuatro bellas preguntas es que te mantienen bien alejado de la puerta que dice ESTÁS EQUIVOCADO. Conozco a demasiados sanadores que tienden a cruzar esa puerta cuando no están creando el cambio que saben que pueden crear, tanto personal como profesionalmente.

Por favor, cuando esto suceda, acude a la pregunta en lugar de ir a lo equivocado que estás, y te aseguro que tendrás una oportunidad mucho mejor de ir más allá de ese lugar atorado. Y recuerda… hay una buena, muy buena oportunidad que lo que percibes sea del cliente, y es exactamente con lo que requiere de tu asistencia.

Ah, y para tu información, ¿*Qué estoy haciendo mal*? ¡No es una pregunta! Es un juicio disfrazado de pregunta.

¿Qué astuto, no? Una vez que lo notas, es bastante obvio.

Aquí están estas cuatro preguntas maravillosamente adaptables de nuevo:

> *¿Realmente qué es esto?*
>
> *¿Qué hago con esto?*
>
> *¿Lo puedo cambiar?*
>
> *Y si es así, ¿cómo lo cambio?*

Cuando las usas, nota el espacio que traen. Cualquier 'problema' se vuelve tan espacioso y feliz que casi puedes oír a los ángeles riendo y batiendo sus alas hacia ti.

¿No sería genial si, mientras haces una sesión, tuvieras esta forma tan sencilla de superarlo que te proporcionan cuatro pequeñas grandes preguntas?

¡Ah espera! ¡Ahora las tienes!

3. ¿Esperas un resultado en particular?

Esto es fundamental. Si eliges trabajar con los cuerpos de personas que te importan (y quizá sea todo el mundo, dado el ser bondadoso que eres) esperar un resultado en particular es una trampa en la que quizá fácilmente caigas, sin siquiera darte cuenta.

Cuando esperas un resultado en particular, albergas un deseo o una necesidad muy fuerte de que tu cliente cambie. Sea cual sea la razón, te aferras con mucha fuerza, con todos los músculos tensos y la mandíbula trabada, deseando que tu cliente elija lo que piensas que debería elegir. Básicamente, estás lleno de juicios y puntos de vista, y lo que comunicas es: "Deberías cambiar, deberías cambiar, deberías cambiar".

Aunque lo que haces proceda desde el cariño, lo que tu cliente recibe de ti son juicios. Juicios, sólidos e inamovibles. Se sentirá culpable y equivocado, y ¿hay alguna probabilidad de que el cambio venga desde ese espacio sólido? Creo que ya conoces la respuesta.

Aquí está tu aclarador para esas situaciones en las que realmente esperas un resultado. ¡Por favor, por favor, por favor úsalo!

> *Todo lo que hago para esperar un resultado en particular, todo con lo que me he alineado y aceptado, todo a lo que me he resistido y reaccionado que no me permite estar en permisión de que el otro cambie o no cambie, vamos a destruirlo y descrearlo ¿por favor?* ***Acertado y equivocado, bueno y malo, POD y POC, todos los 9, cortos, chicos, POVAD y más allás.***

Qué tal que cuando trabajes con alguien por quien tienes cariño, cultivaras un sentido de: "Hola, aquí estoy. Puedes cambiar o no, esa es tu elección".

¿Te das cuenta de que es un espacio totalmente diferente? Está libre de juicios, es verdadera permisión. Ese es el espacio que permite que las personas cambien porque, date cuenta por favor, muchas de las cosas por las que acuden las personas a ti, se relacionan con asuntos por los que se les ha juzgado toda la vida, y probablemente también se han juzgado a sí mismas desde hace mucho tiempo. Entonces ¿sería una sorpresa que la energía de no ser "suficiente" para cambiarlo, o su juicio de que aún no lo ha cambiado, o la creencia de que nunca cambiará, mostrará su interesante y fea cara?

Sé el espacio de la permisión y ve cuánto más puedes hacer, ser y obsequiar. Y *disfruta*.

4. ¿Estás aburrido?

Si tienes una clínica desde hace un tiempo, y estás obteniendo buenos resultados y de pronto... te das cuenta de que estás como un poco estancado, y tan solo pensar en trabajar con alguien te hace decir "meh", entonces estoy dispuesto a apostar que es porque estás funcionando desde: *Tengo gente a la que le duele la espalda. Hago esto. Tengo gente que tiene cáncer. Hago esto otro. Tengo gente que tiene problemas musculoesqueléticos y hago esto.*

Es muy ordenado. Muy A + B = C. Poco caótico, poco consciente, y nada creativo. Sin mencionar que ¡no es para nada TÚ!

Cuando las cosas se estancan, usualmente es porque funcionas desde las respuestas, las conclusiones y el orden, así que yo siempre sugeriría una buena dosis de caos en estas situaciones. ¿Cómo? Mantente más en la pregunta y ve qué más es posible.

Prueba con esto:

> *¿Qué pregunta puedes ser y hacer que no has elegido ser y hacer, que si eligieras serla y hacerla, aligeraría todo en tu clínica?* **Todo lo que no permita eso, acertado y equivocado, bueno y malo, POD y POC, todos los 9, cortos, chicos, POVAD y más allás.**

5. ¿Estás resentido con el trabajo?

La siguiente página quizá sea realmente aterradora o te entusiasme, dependiendo de tu punto de vista respecto al dinero y a recibir dinero como sanador. Por suerte, tengo todo un capítulo dedicado justo a eso, y eso es lo que está a continuación. ¿Quizá incluso ya lo hojeaste? ¡No te culpo! Es un GRAN tema para los encantadores de cuerpos.

Por ahora, solo quiero comentarte que, cuando empiezas a resentirte por hacer sesiones, cuando ya no quieres ir a tu clínica, cuando ya no quieres trabajar con las personas, cuando ya no es divertido para ti, 99% de las veces es porque no cobras lo suficiente.

Yo mismo he pasado por eso y no tenía ni idea que se relacionara con el dinero. Voy a explorar esto contigo a profundidad en el siguiente capítulo, pero por ahora, aquí tienes una pregunta que puedes hacer si, o cuando, tengas la sensación de que tu trabajo ya no es divertido y no estás creando el cambio que sabes que eres capaz de crear:

¿Cuánto debería cobrar para que esto volviera a ser divertido?

Obtén la energía de eso y entra valientemente al capítulo 12, amigo mío.

Saber tu valor como sanador ¿mereces que te paguen?

Si hay una pregunta que garantiza que los encantadores de cuerpo de todo el mundo experimenten un montón de problemas, escollos y palmas sudorosas, es esta:

¿Está bien que te paguen por hacer esto?

¿Te suena familiar? Y qué hay de esta otra: *¿Está bien que te paguen* **bien** *por hacer esto?*

Sé honesto, piensas que a ti, como sanador, ¿deberían pagarte muy bien? ¿Qué tal que te paguen cientos de miles? ¿Y aún más que eso?

Si te sientes confundido, asustado, o te resistes y reaccionas a esto de cualquier manera, permíteme asegurarte: No estás solo, y tengo mucho gusto de compartir este capítulo contigo porque, créeme, yo también he pasado por eso.

Cuando descubrí Access, tenía mucho recelo a la hora de cobrar por el trabajo que hacía con la gente, y esto se intensificaba y se entremezclaba con un montón de problemas que tenía con el dinero y con recibir en general.

De hecho, como mi buen y sabio amigo Gary me dijo hace muchos años: "Dain, no tienes problemas de dinero. Tu problema es con lo que estás dispuesto a recibir".

¡Sí que se me prendió el foco! Y, por cierto, ese es el primero de muchos que compartiré contigo en este capítulo. Por supuesto que Gary tenía razón, yo tenía una gran dificultad con recibir en general, no solo con el dinero. A menudo es así, piensas que tienes un problema de dinero y en realidad lo que te frena tiene su origen en recibir de todo tipo.

Tuve que soltar mis creencias limitantes y acoger nuevas tomas de consciencia, las cuales estoy a punto de compartir contigo, para llegar a donde ahora tengo total facilidad y gozo (grito de asombro) respecto a cobrar por el trabajo que hago.

Por cierto, ¿sentiste una punzada de reconocimiento cuando dije que tenía problemas para recibir? Entonces quizá también te pase a ti. Di esto:

> *¿Qué has decidido que es recibir que no es? Todo lo que eso es, por un dioszillón ¿lo destruyes y descreas por favor?* **Acertado y equivocado, bueno y malo, POD y POC, todos los 9, cortos, chicos, POVAD y más allás.**

Y....

> *¿Qué has decidido que no es recibir que sí es? Todo lo*
> *que eso es, por un dioszillón ¿lo destruyes y descreas*
> *por favor?* **Acertado y equivocado, bueno y malo,**
> **POD y POC, todos los 9, cortos, chicos, POVAD**
> **y más allás.**

Espero que al compartir lo que me mantuvo atorado y
limitado respecto al dinero ahora pueda, a su vez, poner
esto también en tu consciencia, porque, querido sanador:
Te mereces absolutamente que te paguen, y que te paguen
bien, por el cambio que facilitas.

Estamos a punto de revelar las tres creencias limitantes
más comunes para los sanadores y explorar algunas nuevas
tomas de consciencia respecto al dinero que pueden iniciar
un cambio fenomenal en tu perspectiva. Si esto te interesa,
espero que te lleve a donde finalmente veas que mereces
que te paguen bien por lo que haces, *y* que lo que ganas
refleja el regalo que eres y el cambio que puedes crear, *y* te
permite acceder a tus capacidades y a tu potencial reales
como sanador.

Empecemos con esas creencias limitantes.

Punto de vista limitante N.° 1: Debes trabajar gratis

Y si le cobras a las personas, solo deberías cobrar una pequeña cantidad. Y nunca incrementes tus tarifas. De hecho, ¿sabes qué? Solo trabaja gratis.

Hay un punto de vista dominante que tienen muchas personas en el planeta y es algo parecido a esto:

Si haces algo bueno por las personas, deberías de hacerlo gratis.

Hay un sentido de que, especialmente cuando tienes algún don, tienes la obligación de compartirlo y deberías hacerlo sin ninguna recompensa financiera para ti. Después de todo, eres un sanador así que no deberías de preocuparte con todas esas cosas materiales, ¿o sí? Y si te preocupan, entonces eres avaricioso, y te aprovechas de las personas, cuando en realidad deberías ser totalmente altruista y espiritual.

¡Eso es un gran punto de vista limitante! Sin mencionar que rebosa de juicios y por lo tanto es muy, muy destructivo.

La verdad es que todos tenemos cuentas por pagar y todos necesitamos comer, y por muy conscientes que seamos, eso solo no nos mantendrá en esta realidad. Para continuar trabajando como sanador, como cambiador, como encantador de cuerpos, el pago es lo que lo hace sustentable.

Por favor, no asumas como propio este punto de vista limitante, no te lo creas ni dejes que alimente cualquiera de los recelos que quizá tengas acerca de establecer tus tarifas como practicante sanador. No prives al mundo de tus dones, de la invitación única que eres.

¿Listo para dejarlo ir? Nota: Algunos de ustedes deberán decirlo varias veces:

> *Dondequiera que te hayas creído la idea de que debes trabajar gratis o por muy poco, ¿destruyes y descreas eso por favor?* **Acertado y equivocado, bueno y malo, POD y POC, todos los 9, cortos, chicos, POVAD y más allás.**

Y….

> *Dondequiera que te creíste la idea de que por hacer un trabajo "espiritual" o "de sanación" se lo debes dar gratis a la gente, ¿lo destruyes y descreas por favor?* **Acertado y equivocado, bueno y malo, POD y POC, todos los 9, cortos, chicos, POVAD y más allás.**

Punto de vista limitante N.° 2: El dinero es la raíz de todos los males

Antes de entrar en materia, aclaremos los hechos: El dinero como raíz del mal es una de las frases más distorsionadas y malentendidas de la Biblia. La cita real es el *amor al dinero es la raíz de todos los males*, lo cual es completamente distinto. Considéralo: el dinero en sí mismo no tiene nada malévolo. El billete de cinco o diez o cincuenta dólares en tu cartera no tiene maldad (ni benevolencia) inherente.

Las cosas solo se vuelven problemáticas cuando tu amor por el dinero es *mayor que* tu amor por la creación, y cuando valoras el dinero por encima de todo lo demás, en particular la contribución y el regalo que puedes ser para los demás.

Cuando lo ves de esta manera, es bastante directo: Puedes disfrutar y apreciar el dinero sin que sea el producto más valioso de tu vida. Puedes estar dispuesto a tenerlo sin que dirija o *arruine* tu vida.

Punto de vista limitante N.° 3: Hacer dinero es difícil / no está bien divertirte y ganar dinero / de cualquier manera no merezco tener mucho dinero

(Básicamente cualquier punto de vista respecto al dinero que hayas aprendido de tus padres).

(Y de cualquier otra persona en tu vida).

¿Recuerdas cómo recogimos todas las creencias, juicios, y puntos de viste de todos a nuestro alrededor?

Aquí está la pregunta:

¿Es posible que te has creído la realidad financiera de alguien más como tuya cuando en realidad no es tuya?

¿Y de quién será esa realidad?

Hace sentido que muchos de nosotros hayamos asumido la realidad financiera de nuestros padres o de quien sea que nos haya criado. Toma un momento para pensar acerca de cuál era la actitud y la atmósfera respecto al dinero cuando eras niño.

¿El dinero era escaso o era abundante? Si era escaso, lo más probable es que había mucho estrés y preocupación en torno al dinero, y era de entenderse.

El asunto es que, incluso en los hogares donde el dinero no parece ser un problema, puede haber ansiedades subyacentes al respecto. A menudo las personas más ricas son las más reticentes a gastar y disfrutar de su riqueza, porque su mentalidad monetaria es de escasez, incluso cuando su realidad muestra mucho dinero. Si tienes problemas para recibir, no es tan simple como "te criaron rico o te criaron pobre", a menudo va mucho más profundo que eso.

Lo maravilloso es que ahora tienes la elección de dejar ir cualquier realidad financiera que no te pertenezca. Sin importar cual sea la mentalidad monetaria que hayas adquirido a lo largo de tu vida, ahora puedes liberarte de ella, y esto te liberará de muchas maneras para disfrutar del recibir dinero por el maravilloso trabajo que haces.

> *¿La realidad financiera de quién te estás creyendo como real y verdadera para ti que no lo es? Todo lo que eso es, por un dioszillón ¿lo destruyes y descreas por favor?* **Acertado y equivocado, bueno y malo, POD y POC, todos los 9, cortos, chicos, POVAD y más allás.**

Algo más para tener en cuenta es que, como sanador, puede que te hayas contagiado de las realidades financieras de otras personas que hacen un trabajo similar al tuyo. Si en tu camino te has encontrado con otros sanadores que o bien lo hacían gratis o creían que debías trabajar por muy poco, ¿podrías haber tomado su punto de vista como tu realidad?

Vuelve a decir el proceso:

> *¿La realidad financiera de quién te estás creyendo como real y verdadera para ti que no lo es? Todo lo que eso es, por un dioszillón ¿lo destruyes y descreas por favor?* **Acertado y equivocado, bueno y malo, POD y POC, todos los 9, cortos, chicos, POVAD y más allás.**

Ahora bien, éstas son solo tres de las creencias limitantes comunes con las que los sanadores a menudo tienen que lidiar, tanto si son nuevos en la clínica como si llevan años ejerciendo. Si puedes soltarlas, o por lo menos verlas como lo que son: muy limitantes, probablemente ajenas, y potencialmente muy destructivas, entonces tu realidad respecto al dinero y de ganar como sanador puede empezar a cambiar más allá de lo que imaginas.

¿Listo para algo de consciencia?

Nueva consciencia N.° 1: Puedes ser consciente y desear (y tener) dinero

Sí, ¡por supuesto que estas dos cosas pueden estar juntas) Estoy seguro de que lo que te trajo a esta línea de trabajo fue el deseo de contribuir a la gente, de regalar a la gente, y de crear un cambio en el mundo. Teniendo eso en cuenta, me sorprendería que el dinero fuera el factor principal por el que eres sanador, o por el que consideras dar el paso a ejercer como sanador.

Sí, hay un 'sin embargo' en camino... aquí está el asunto: Solo porque no quieras hacer del dinero tu prioridad, no quiere decir que no debas tener o desear el dinero que te permitirá crear una vida plena para ti y para las personas que quieres.

Si esto se siente ligero para ti, te invito a que te des permiso de realmente tener dinero, y a que acojas la idea de ganar dinero como sanador, y a que te sientas a gusto con desear dinero.

Esto no te hace avaricioso o malo de ninguna manera. A pesar de que es cierto que hay mucha avaricia en el mundo, y muchas personas enfocadas en el dinero y en el poder, porque así es como 'hacen' tener dinero, no significa que tú lo hagas de esa manera, o desde ese mismo lugar.

De nuevo: No hay nada inherentemente malo respecto al dinero. Puedes ser consciente *y* desear dinero.

> *Todas las mentiras que te creíste acerca de las personas con dinero y cuán malas y terribles son y que nunca quisieras ser una de ellas, todo eso, ¿lo destruyes y descreas por favor?* **Acertado y equivocado, bueno y malo, POD y POC, todos los 9, cortos, chicos, POVAD y más allás.**

Por cierto, yo me creí la mentira de que no podía ser consciente y rico a la vez, por eso no podía pagar el alquiler antes de empezar a usar las herramientas de Access Consciousness.

Nueva consciencia N.° 2: Hay una conexión entre cuánto cobras y el cambio que puedes crear – *y* la cantidad de cambio que permiten las personas

Esto es un punto muy importante. En mis primeros días en Access, todavía era quiropráctico y cobraba $25 por sesión. Durante una conversación con Gary me preguntó qué tipo de resultados obtenía a cambio de esa tarifa, y le conté que por un lado, algunas personas obtenían resultados fantásticos, pero que, en general tenía la sensación de que lo que estaba creando no era ni cerca de lo que sabía que era posible.

Gary, con su habilidad de llegar al quid de la cuestión dijo, "Es porque no cobras lo suficiente".

Tengo que admitir que estaba confundido; esperaba que me diera algún consejo acerca de una técnica o que me ofreciera una herramienta, así que le pregunté a qué se refería, y me dijo: "¿Cuánto cambio están dispuestas a recibir las personas cuando te pagan $25?".

Yo seguía sin entender a dónde quería llegar, así que me lo explicó de manera más sencilla. "Dain, $25 es lo que se paga por dos boletos para el cine. Al pagarte $25, esa es la cantidad de cambio que tus clientes están dispuestos a tener".

Ah, bien, ¡ahora lo empecé a entender! Si cobraba más o menos la misma cantidad que el precio de un boleto de cine, las personas permitirían la cantidad de cambio que obtenían de una película. ¿Y cuánto cambio obtienen las personas al ver películas? No mucho, y no dura mucho tiempo.

Este fue el primer paso para entender mejor cómo valorarme a mí mismo. De hecho, creó un cambio masivo en mi consciencia, porque me permitió ver que el hecho de que me pagaran se relacionaba directamente con el cambio que podía crear en la vida de las personas, y más que nada, quería trabajar con personas para crear sanación y cambio en sus vidas.

Nueva consciencia #3:
El propósito de tener dinero es cambiar la vida de las personas para bien

Esta perspectiva me la presentó, de nuevo, el astuto e iniciador de consciencia, Gary, cuando me preguntó, "¿Puedes cambiar más el mundo con dinero o sin dinero?".

Parecía obvio: "Claro que con dinero", le respondí.

"Así es", me respondió, "y el propósito del dinero es cambiar las realidades de la gente a algo más grandioso".

¡Este fue (¡otro!) de esos momentos sorprendentes para mí! Fue la primera vez que alguien me daba la perspectiva de que el dinero podía hacer cosas buenas, grandiosas e increíbles. Me entusiasmó y me motivó. Desde ese momento mi situación financiera empezó a cambiar.

> *Todo lo que hayas hecho para que esté mal cobrar por tus servicios, y dondequiera que tengas ese extraño nudo en la garganta cuando le dices a la gente cuánto cobras, y sientes que, por supuesto, debes estar cobrando demasiado ¿lo destruyes y descreas por favor?* ***Acertado y equivocado, bueno y malo, POD y POC, todos los 9, cortos, chicos, POVAD y más allás.***

Realmente espero que estas nuevas perspectivas te traigan un sentido de facilidad respecto a todo el tema del dinero, porque sé cuánto puede limitar tus dones.

Ahora, veamos qué hay que considerar cuando estableces tus tarifas.

En la práctica: Establecer tus tarifas

Tengo dos grandiosas preguntas que te puedes hacer para sintonizar con cuáles deberían ser tus tarifas. Están entretejidas en la siguiente historia, donde te mostraré cómo he usado personalmente estas preguntas para superar finalmente mis temas para recibir.

Cuando empecé a hacer Access y a desarrollar el trabajo energético que hago, Gary vino a verme para recibir una sesión. Al iniciar, sugirió preguntarle a su cuerpo lo que requería. Esta fue la primera vez que me encontraba con el concepto de preguntarle a alguien lo que quiere, ¡es interesante ya que ahora es la parte medular de mi práctica!

Realmente, en ese entonces no tenía idea a qué se refería Gary. Después de titubear un poco lo intenté: le pregunté a su cuerpo qué requería, me sintonicé con la energía y empecé a crear cambios en el cuerpo de Gary como ninguno de los dos había experimentado antes. Lo que finalmente resultó de esa sesión fue el génesis, el inicio de la síntesis energética del ser (ESB por sus siglas en inglés) la modalidad que ahora practico e imparto a nivel mundial.

Esta experiencia fue como abrir la puerta a un nuevo mundo de posibilidades para mí como sanador, así que cuando Gary me invitó a hacer sesiones de ESB en la siguiente clase avanzada de Access estaba muy emocionado. Entonces vino la gran pregunta: "Y entonces Dain, ¿cuánto vas a cobrar?".

Ay, ¡hola problemas para recibir dinero! No tenía idea qué decir así que solicité el consejo de una facilitadora experimentada de Access que me hizo una pregunta la cuál fue muy útil y poderosa, la cual tengo el gusto de compartir contigo. Ella dijo:

> *¿Cuánto sería tan emocionante de cobrar que te daría casi miedo pedirlo, pero que si lo recibieras te haría muy feliz?*

En serio, lee eso de nuevo, subráyalo, escríbelo en tu libro de notas, en tu teléfono, porque es un regalo de pregunta.

Me tomé un segundo para pensar al respecto antes de darle mi respuesta. Y genuinamente sentí que me estiraba para alcanzar las estrellas, le dije "$60 por sesión". En serio, esa cantidad de dinero produjo todas esas sensaciones de miedo y entusiasmo de las que hablaba.

"Genial", me respondió "pero ¿cuánto cambio van a recibir las personas por $60?".

Ah, pensé, eso se siente familiar. Volví a tomar consciencia de lo que Gary me había dicho respecto al nivel de cambio de un boleto de cine de $25. Eso es algo para recordar: A menudo nos lleva un poco de tiempo realmente entender y deshacer algo, especialmente cuando se trata de esos hábitos arraigados y esos viejos patrones de pensamiento.

Esto es lo que hice. Hice una pausa y capté la energía de cuánto cambio estaban dispuestas a recibir las personas cuando cobraba $25, y supe la respuesta inmediatamente: muy poco.

Después, capté la energía de cuánto recibirían si me pagaran $60, y me di cuenta de que recibirían mucho más, pero también que yo era capaz de más. Así que me imaginé lo que podría hacer por $80, y el salto que podrían dar las personas al pasar de $60 a $80 fue tan enorme, que elegí eso. Si piensas que me había emocionado y aterrorizado por $60, ¡imagina cómo me sentía por $80!

Gary llamó y me preguntó en qué cifra había pensado, y le dije "Gary, esto es tan difícil de pedir para mí", honestamente, estaba temblando, y mis moléculas estaban vibrando. Tomé una respiración y dije "$80".

"De acuerdo", respondió. Sin embargo, al llegar el día de la clase avanzada de Access Gary empezó la clase con un anuncio, en el que me presentó a todos y dijo que nos habíamos conocido recientemente, pero que en tan poco tiempo había hecho cosas fantásticas por él y por su cuerpo. Le dijo a la clase que estaba ofreciendo sesiones individuales, y que usualmente cobraba $120, "pero" agregó "para ustedes lo hará por $80".

Estoy seguro de que todos en un radio de 15 kilómetros me escucharon al pasar saliva. Oír $120 asociados a mi nombre fue... pues, ¡difícil de poner en palabras! Quizá captas la energía. Si lo piensas, esto era casi cinco veces de lo que previamente pensaba que valía. Absolutamente no había palabras.

La verdad es que hice 20 sesiones durante esa primera clase y ninguna persona me pagó menos de $120. De hecho, algunas personas me pagaron *más* para reflejar el cambio que habían recibido. Este fue un parteaguas en mi vida y en mi trabajo como sanador, y fue un reconocimiento de lo que podía hacer.

El cambio que creé con $120 fue mayor que todo a lo que había tenido acceso previamente, y no solo eso, *mi trabajo era mucho más fácil.*

Aquí está el por qué: Cuando alguien está dispuesto a pagarte lo suficiente, ha traspasado una de las barreras de entrada para el cambio que está pidiendo. Al cruzar esta barrera y pagar lo suficiente, está dispuesto a recibir más.

Decirles a tus clientes que incrementaron tus tarifas

Incrementar tus tarifas puede requerir una poca, o mucha valentía. Así es como yo lidié con ello. A pesar de estar explorando estas nuevas modalidades y formas de iniciar el cambio en los cuerpos de las personas, aún tenía mi clínica de quiropráctico. Sabía que tenía que ofrecer este trabajo a mis pacientes actuales desde ese nuevo espacio de sanación. El tema es que me pagaban mi antigua tarifa de $25, y yo ahora pedía $120. Sin embargo, había visto lo que era posible y no podía regresar.

Le dije a mis pacientes actuales que me había expuesto a una nueva energía que tenía capacidades inmensas de sanación y con la que era muy divertido trabajar. Mencioné que mi nueva tarifa era de $120 por sesión, que sería de forma personalizada y que duraría una hora. Les dije que si ellos querían ir por este nuevo camino era genial, pero que si no, con gusto los referiría con otro quiropráctico de la ciudad.

90% de mis clientes se quedaron conmigo.

Lo que fue milagroso, y lo que fue maravilloso para mí, es que las personas que se quedaron conmigo obtuvieron el cambio que siempre había querido darles en todos estos años como quiropráctico, pero que los $25 no lo permitían.

En una hora creaba cambios que previamente me habrían llevado seis meses. A mitad de las sesiones los clientes me veían con esta mirada magnífica, pacífica y vidriosa, y decían algo como: "Vaya, ni siquiera sabía que esto fuera posible", y yo respondía: "Yo tampoco. ¿No es genial?".

Pasé de ofrecer en un cambio pequeño y limitado a crear uno enorme para mí y para mis clientes, y realmente entendí el valor de salir de mi zona de confort financieramente.

¿Es momento para salir de tu zona de confort?

Encontrar el punto óptimo

Aquí hay dos preguntas que puedes usar para establecer tus tarifas:

1. ¿Cuánto sería tan emocionante cobrar para mí, que casi me da miedo pedirlo, pero que si lo obtuviera me haría muy feliz?

2. ¿Cuánto cambio puedo otorgar por esa cantidad?

El objetivo es encontrar el punto óptimo: Explora lo que te entusiasma, y después considera la cantidad de cambio que puedes crear por esa suma de dinero.

Ahora, por favor ¡date cuenta al navegar por esta nueva forma de establecer tus tarifas! Claro, pedir $1000 puede ser increíblemente emocionante, pero ¿puedes dar $1000 de cambio cómodamente?

Por otro lado, quizá te sea fácil dar $50 de cambio, pero ¿esa cantidad te entusiasma? Si cambias $50, ¿terminarás resentido y aburrido? ¿Eres capaz de crear algo más cercano a $100, o incluso $200?

Solo tú lo sabes, y te recomiendo que juegues con esto. Si no te resulta fácil, vuelve a leer este capítulo y di los aclaradores tantas veces lo requieras.

Para cerrar este capítulo, quisiera compartir contigo una historia que realmente me ayudó a aceptar que el dinero que ganaba como sanador tenía la capacidad de hacer más grandiosa la vida de alguien muy querido para mí.

Cambiar la realidad de mi sobrino

Mi sobrino es un chico dulce, muy dulce. Uno de esos chicos brillantes. Uno de esos chicos que es como un sabio. Simplemente es muy inteligente. Y, como muchas otras personas inteligentes, es muy curioso y le encanta hacer preguntas.

En el jardín de niños y en primer año tenía maestras que lo acogían como el regalo que es y que amaban que hiciera tantas preguntas, pero cuando pasó a segundo grado todo cambió para él. El cambio surgió del hecho de que su nueva maestra consideró que el hecho de que levantara la mano con frecuencia y su naturaleza curiosa era un desprecio hacia ella. De hecho, estaba tan ofendida por el hecho de que él hiciera preguntas que creyó que trataba de desafiarla y de socavarla.

En esta escuela en particular, en aquella época, si un estudiante hacía algo para irritar a la maestra, le daba una tarjeta amarilla como señal de 'primera advertencia' y si volvía a hacer algo 'malo', recibía una tarjeta roja que implicaba que no podía ir al recreo ni a comer.

Ahora, mi sobrino recibía tarjetas rojas cuatro de cada cinco días. A las tres semanas de haber empezado el segundo grado, volvía a casa con los hombros caídos, parecía un viejo abatido que odiaba su trabajo y odiaba la vida. Y tenía siete años.

Muy rápidamente vi esto por lo que era: inaceptable. Conocía a mi sobrino y entendía su verdadera naturaleza. Hablé con mi hermana de la posibilidad de llevarlo a otra escuela, sabiendo que si encontrábamos una escuela privada, lo cuidarían y le permitían ver que él no es un problema, que sus preguntas eran maravillosas, y que él era un gran chico, y punto.

En aquel momento mi hermana no tenía los recursos económicos para realizar un cambio tan grande... pero yo sí. Descubrimos una escuela privada fantástica a 3 kilómetros de donde ellos vivían e hicimos una cita para que él la visitara. Después de estar solo un día ahí regresó brillando. Había recuperado los hombros. Estaba vivo. Era el niño feliz que solía ser. Sabía lo que tenía que hacer. "Inscríbelo", le dije a mi hermana "mañana será su primer día de clase". Ella dijo "No puedo costearlo, Dain. Me encantaría pero no puedo".

Ya había tomado una decisión. "Esto es entre él y yo, yo lo pagaré. Él quiere ir. Tu eres mi hermana menor, te amo, y hay que hacerlo porque esto creará un futuro diferente para este chico".

Desde entonces vuela alto. Está buscando conseguir una beca por jugar voleibol y quiere ser un sanador, y esto es lo que me llena de alegría: veo cómo habría sido su futuro si no hubiera podido contribuirle, y sé que habría sido una cosa totalmente diferente.

Cobrar por lo que haces es un regalo para ti y para los demás

¿No es esta una perspectiva diferente?

Es un regalo para tus clientes porque les permite abrir la puerta para recibir un cambio masivo, mucho más de lo que recibirían si trabajaras para ellos de forma gratuita o cobraras una miseria por lo que haces.

Es un regalo para ti porque puedes tener facilidad financiera y paz mental. Y entonces ¿Cuánta más facilidad tendrás cuando estés con tus clientes?

Y además, es un regalo para tus seres queridos. ¿Cuánto más puedes contribuirles a otras personas si tienes facilidad financiera? Quizá tengas un sobrino o una sobrina cuya realidad y futuro podrían cambiar si tú tuvieras los recursos financieros para contribuirles.

Cuando dejas de considerar al dinero como esta cosa mala, terrible, espantosa, cruel y horrible, puedes crear mucho más. Para nuestros clientes, para nosotros, y para nuestros seres queridos.

¿Cómo puede ser mejor que eso?

Crear el futuro: De la teoría a la práctica

Al acercarnos a las últimas páginas de este libro, quisiera invitarte a que te tomes un momento para hacerte una idea del mundo que te gustaría crear.

Si pudieras crear el mundo tal como a ti te gustaría que fuera ¿qué aspecto tendría? ¿Cómo se sentiría? ¿Cómo sería? Algunos de ustedes quizá necesiten un momento para percibirlo; otros lo sabrán de inmediato. Cierra los ojos si quieres.

Percibe la energía de ese mundo. Nota que quizá tenga una sensación dinámica de paz, y mucha facilidad. Es probablemente un lugar donde nos podríamos reunir y contribuirnos los unos a los otros.

Quizá tenga una facilidad y abundancia financiera para ti y para todos los que estén dispuestos a recibirla. Quizá tenga un sentido de comunión, de conexión y de ligereza donde la sanación es fácil porque los puntos de vista fijos se disuelven.

Una vez que tengas un sentido de ello, pregúntate: *¿Qué regalo soy y qué regalos únicos ofrezco a la gente que nunca he reconocido y que permitirán que este mundo se actualice?*

Percibe eso. ¿Te resulta fácil hacerlo?

Muchos de nosotros tenemos una tendencia a creer que lo más grandioso de nosotros son nuestras debilidades. Trabajo con tantas personas dulces y cariñosas, el tipo de personas con las que solo tienes que estar por un minuto y todo lo equivocado, todo el juicio y toda la separación desaparecen de tu mundo. Y sin embargo, llevan toda la vida invalidando ese don natural que tienen.

¿Tú también lo has hecho? ¿Quizá lo has minimizado o has puesto excusas para tu gentileza, tu humor o tu pasión? ¿Y si en lugar de invalidarlo empezaras a acogerlo?

Tomando esa idea del mundo que te gustaría crear, y reuniéndolo con tus dones únicos, aquí hay una pregunta para ti:

¿Qué tres peticiones y exigencias puedes hacerte ahora que cambiarían el rumbo de tu futuro para que sea lo que realmente te gustaría que fuera?

Podemos hablar y teorizar acerca de crear un futuro más grandioso, pero ¿Qué tan a menudo ponemos en práctica nuestras ideas? ¿Qué tan a menudo nos exigimos a nosotros mismos hacer y ser lo que se requiera para crear ese futuro más grandioso?

¿Quieres abordar eso en este momento? Si es así, podrías decir esto:

Seré, haré y cambiaré lo que se requiera para crear el futuro que sé que es posible. Y seré gentil conmigo mismo a lo largo del camino. Y todo lo que no permita eso… Ya te sabes el resto.

Toma en cuenta la última exigencia: sé gentil contigo mismo. Cuando agregas eso a la mezcla de todo lo que hemos aprendido hasta ahora, y lo incorporas a la consciencia a la que estás accediendo ahora sobre el mundo que te gustaría crear, tú, amigo mío, eres imparable.

Espero sinceramente que te estés dando cuenta de quién eres en realidad, y de la contribución que viniste a ser aquí.

Elige el gozo

¿Puedes elegir tener gozo mientras te abres camino en la vida? ¿Puede un encantador de cuerpos ser gozoso, o eso es inapropiado? Algunos de nosotros tenemos esta idea de que, como sanadores, se supone que debemos sufrir, y debemos seguir sufriendo hasta que todo el sufrimiento del mundo se haya eliminado. *Hasta entonces* podemos elegir gozo para nosotros. ¿Hace sentido verdad? Mmm, ¡No, no lo tiene!

> *Dondequiera que hayas decidido que tu trabajo era sufrir y que haces un muy buen trabajo si estás sufriendo, sabe que no eres la contribución que podrías ser cuando estás sufriendo. Todo lo que eso es, por un dioszillón, ¿lo destruyes y descreas todo por favor?* ***Acertado y equivocado, bueno y malo, POD y POC, todos los 9, cortos, chicos, POVAD y más allás.***

Tengo el punto de vista de que nuestro trabajo realmente es ser gozoso hasta que los demás también lo elijan. Podemos ser la inspiración para el gozo, la paz y la facilidad que son posibles para todos, al ser nosotros mismos. Demostrándolo, por decirlo de alguna manera.

En mi opinión, ése es uno de los mayores regalos que puedes ser en este planeta: Puedes mostrarles a los demás lo que es posible. Muéstrales que se puede tener facilidad con el cuerpo, con regalar, con recibir. Que puedes tener gozo, espacio, facilidad y plenitud. Que nunca tienes que ir a lo equivocado de ti.

¿Y si el tú ser esa inspiración fuera una de las maneras fundamentales de crear un mundo mejor?

Entrar al reino de nosotros

¿Has escuchado acerca del reino de nosotros? Es un lugar donde todos están incluidos y no se juzga a nadie ni a nada. Se parece mucho a la consciencia, ¿cierto?

Absolutamente, porque esencialmente, el reino de nosotros funciona a partir de la consciencia que crea la consciencia de que todos estamos interconectados. Tenemos un sentido de comunión y conexión con todos y con todo, incluyendo la Tierra debajo de nuestros pies, y todos y todo con lo que nos encontramos.

¿Cómo es que somos tan afortunados?

Y al otro extremo del espectro, tenemos el reino de mí: un lugar que, como puedes adivinar por su nombre, se refiere todo al individuo. Es un lugar que se rige por el juicio y los puntos de vista, y por lo tanto, ahí abundan el conflicto, la separación y el dolor.

¿En qué reino te gustaría elegir vivir ahora?

Creo que finalmente ha llegado el momento para que el reino de nosotros se muestre. El espacio de la unidad donde todos nosotros podemos ser el regalo que somos los unos para los otros.

¿Me acompañas ahí?

Solo puedo decir ... ¡Gracias!

Gracias por embarcarte en este viaje tan diferente. Gracias por ser quién eres y por lo que eres en el mundo en este momento.

—

Debes saber que hay un mundo más amable, más gentil a nuestro alcance.

—

¿Y si tú siendo tú es el regalo, el cambio, y la posibilidad que este mundo requiere?

Es un gran honor para mí emprender este viaje contigo. Me encantará ver lo que podemos crear juntos en el futuro. Porque…

—

Sabes que eres mi gente ¿cierto?

—

Eres de los que crean una posibilidad más grandiosa para los demás y usan su propio ser y energía para hacerlo. Eres de los que están ahí afuera cambiando el mundo energéticamente al ser algo diferente, al invitar a que exista una posibilidad diferente. Tú eres así de brillante, así de vanguardista, así de grandioso.

—

Por favor elige el gozo. Muévete, agítate, inspírate. Sé curioso, ábrete, sorpréndete.

—

¡Levanta la mano si eres un encantador de cuerpos!

Recursos

El enunciado aclarador en detalle

Si quieres saber más acerca de las palabras y las frases individuales que crean el enunciado aclarador de Access Consciosness, puedes leer más en las siguientes páginas, o ve al sitio web de Access donde encontrarás un video en el que explico un poco más: *theclearingstatement.com*.

Aquí está el enunciado aclarador:

Acertado y equivocado, bueno y malo, POD y POC, todos los 9, cortos, chicos, POVAD y más allás.

Veamos ahora cada una de estas poderosas palabras y frases.

Empecemos por el acertado y equivocado, bueno y malo

Acertado y equivocado, bueno y malo, representan tus juicios acerca de lo que estás dejando ir.

Lo extraño es que, cuando juzgamos algo como malo, eso limita menos de cuando juzgamos algo como bueno. Cuando juzgamos algo como malo, al menos queremos cambiarlo. Cuando juzgamos algo como bueno, ¡no le permitimos cambiar porque finalmente hicimos algo bien!

Así que el enunciado aclarador deshace los juicios de algo que está es acertado o equivocado, bueno o malo y abre el espacio energético para que cambie.

Ahora el POD y POC

El enunciado aclarador te lleva de vuelta al punto de creación (POC) o al punto de destrucción (POD) y deshace las limitaciones causadas por el punto de creación en donde sea que haya iniciado.

Imagina que caminas por el sendero de tu vida, pero en medio del camino tienes este grande y viejo árbol de limitación que aún no has podido rodear. A la derecha hay una gran montaña, que no puedes escalar, y a la izquierda está un precipicio hacia la nada.

¿Qué harás?

Bueno, podrías cortar el árbol y tratar de asegurarte de sacar todos los trozos, el tronco y las raíces... y sin embargo, como sabemos, suele volver a crecer.

En lugar de ello, qué tal que pudieras seguir una hoja, bajar a una rama, bajar por el tronco y retroceder en el tiempo a donde empezó la semilla de la limitación e invitar a la semilla a que se disuelva, a que se vaya, puf, a regresar al punto de creación, donde sea que se haya creado.

¿Qué le pasaría a ese árbol de limitaciones? Desaparecería instantáneamente. Eso es lo que hace el enunciado aclarador. Es como sacar la última carta de un castillo de naipes. ¡Toda la estructura se cae!

Todos los 9

El "todos los 9" representa las nueve capas de este enunciado aclarador. Fui una parte importante en desarrollar estas 9 capas, y ni siquiera yo me acuerdo de lo que son. Así que tú tampoco te tienes que acordar. Básicamente, es algo parecido a esto: Cada vez que hacemos el enunciado aclarador, buscamos sacar la mayor cantidad de mierda y de limitaciones fuera del camino, y para hacerlo, pasamos a través de cada capa que sabemos que existe.

Si sacamos suficiente mierda del camino de tu vida, ¡encontraremos al pony llamado "tú" ahí en algún lado!

Y los "cortos"

Los "cortos" representan lo que es significativo y lo que no, junto con todos los castigos y las recompensas por ello.

Todos entendemos que algo se puede quedar atorado si lo hacemos significativo, ¿verdad? Sin embargo, es incluso peor cuando haces algo insignificante que NO ES. Siempre que haces algo insignificante cuando no lo es, puede regresar y te lloverá sobre la cabeza como basura espacial.

Un ejemplo rápido: Mi mejor amigo, Gary, el fundador de Access Consciousness, es un "finidor". Siempre enrolla la pasta de dientes desde el final de la punta del tubo. Sus dos esposas eran personas que "la apretaban de en medio". Cuando entraba para ir al baño y ellas apachurraban el dentífrico en el medio, se molestaba o se frustraba. Pero pensaba: "No puedo estar molesto por esto. Es insignificante".

Durante seis meses, arrojaba su molestia hacia el universo como si fuera basura espacial, porque debía ser "insignificante". Hasta que finalmente un día, después de estar en extremo molesto por otra cosa, gritó: "¡Maldita sea! ¡¿No puedes apretar bien el dentífrico?!".

Eso es lo que pasa cuando haces algo insignificante que no lo es: sale hacia el universo como basura espacial y después llueve sobre tu cabeza cuando menos te lo esperas.

Así que todo lo que has decidido que es insignificante que en realidad no es insignificante para ti, que en realidad sí tenía un significado, ¿destruyes y descreas todo por favor? **Acertado y equivocado, bueno y malo, POD y POC, todos los 9, cortos, chicos, POVAD y más allás.**

Después "los chicos"

Los "chicos" son algo que se llaman las esferas nucleadas. ¿Cuántas veces te han dicho que necesitas pelar las capas de la cebolla para llegar al corazón del asunto y has pelado, y pelado, y pelado ¡y lo único que obtuviste son lágrimas!

Has asistido a talleres y clases y sesiones de meditación… haces todas esas cosas y sientes como: "SÍ, SOY LIBRE", porque finalmente quitaste una capa de esa cebolla. Y después, en unos días, sientes que vuelve a crecer y no has llegado a ningún lado.

Eso es porque no es una cebolla. Es una estructura energética llamada esfera nucleada; a lo que estás tratando de llegar, y hay una cosa afuera de eso, y otra más, y otra más, y otra más, hasta el infinito.

Entonces ¿cuántas cebollas has pelado en las diferentes vidas que has tenido que todavía tratas de pelar y pelar, y lo único que obtienes son lágrimas? Piensa en todas las esferas nucleadas que crearon las lágrimas que pensabas que eran cebollas. ¿Destruyes y descreas todas esas, por favor? **Acertado y equivocado, bueno y malo, POD y POC, todos los 9, POVAD y más allás.**

Ahora, POVAD

Los "POVAD" son los puntos de vista que evitas y defiendes que mantiene eso en existencia.

Y la última parte: los más allás

¿Qué es un "más allá"? Bueno, alguna vez te pasó algo que te hizo hacer "Aaaaaah"? Eso fue un más allá: algo que te detiene en seco y te saca del momento presente. Pudo ser un momento donde te despidieron, o cuando te enteraste de la muerte de un ser querido, la vez que descubriste a una pareja con alguien más, o cuando te diste cuenta de que le debías al banco más de lo que jamás podrías pagar. Los más allás son eso que experimentamos que está más allá de pensamiento, más allá del sentimiento y más allá de la emoción.

Todos los más allás ¿los destruyes y descreas por favor? **Acertado y equivocado, bueno y malo, POD y POC, todos los 9, POVAD y más allás.**

¿Cómo está tu cabeza? Está bien si estas palabras hacen que la cabeza te da vueltas, lo entiendo. Pero si estás dispuesto a que entren a tu vida, puedes empezar a crear la vida que te gustaría elegir, y es entonces, querido amigo, cuando remontarás el vuelo.

Qué tal que lo intentas, sólo inténtalo y verás lo que puede hacer.

Lo único que tienes que perder son tus limitaciones. ¿Qué tan liberador, emocionante e increíble es eso? ¿Qué tan inconcebible, imparable y liberado serías entonces?

¿Es momento de volar?

Sobre el autor

El Dr. Dain Heer es un autor internacional, agente de cambio y cocreador de Access Consciousness, una de las mayores modalidades de desarrollo personal del mundo.

Lleva más de veinte años viajando por todo el mundo, impartiendo clases y talleres, compartiendo su alegre enfoque de la vida y sus perspectivas provocadoras sobre la consciencia y la creación.

Con una formación inicial como quiropráctico, ha desarrollado un enfoque completamente diferente de la sanación: empoderar e inspirar a las personas para que aprovechen y reconozcan sus habilidades y saber propios.

Heer también es pionero en la interpretación de la energía sutil y sus efectos en el cambio, la salud y el bienestar y ha desarrollado su propio proceso, conocido como síntesis energética del ser (ESB).

Al crecer en el gueto de Los Ángeles, Heer vivió desde muy joven un constante abuso mental, físico, emocional, sexual y monetario. Sin embargo, nunca eligió ser una víctima. En cambio, descubrió el poder de la transformación personal, la permisión, la valentía y la resiliencia. Ha aprendido a transformar los retos de la vida en un regalo de fuerza.

Sobre todo, Heer se dio cuenta de que su profundo afecto por los demás nunca había mermado. Con el tiempo, Heer reconoció que tenía la capacidad de empoderar a la gente a sanarse a sí misma, al elegir abordar la sanación de una manera nueva y poderosa.

Usa un singular conjunto de herramientas y proporciona procesos energéticos detallados para que las personas salgan de las conclusiones y los juicios que las mantienen atoradas en un ciclo de no elección llevándolas a momentos de asombro que tienen el poder de cambiar cualquier cosa.

Descubre más sobre el Dr. Dain Heer en **drdainheer.com**.

Algunas formas de conectar con Access en línea

AccessConsciousness.com

DrDainHeer.com

GaryMDouglas.com

BeingYouChangingTheWorld.com

ReturnOfTheGentleman.com

TourOfConsciousness.com

YouTube.com/drdainheer

Facebook.com/drdainheer

Facebook.com/accessconsciousness

YouTube.com/accessconsciousness

Otros libros por dain heer

El Dr. Dain Heer es autor y coautor de varios libros, muchos de los cuales están traducidos en varios idiomas.

Crear relaciones sin divorciarte de ti
El dinero no es problema, tu lo eres
El manifiesto del bebé dragon
El gozo de tu cuerpo
El manifiesto del bebé unicornio
El retorno del caballero
El sexo no es una grosería pero las relaciones muchas veces sí lo son
¿Enseñarías a un pez a trepar a un árbol?
Las diez llaves para la libertad total
La mayor de las aventuras… es ser verdaderamente tú
Siendo tú, cambiando el mundo
Vivir más allá de la distracción
A Drop in the Ocean
Magic. You Are It. Be It.
Talk to the Animals
The Baby Stardust Manifesto
The Home of Infinite Possibilities
Right Riches for You

A través de la tienda de Access Consciousness en línea puedes encontrar estos y muchos otros libros que te permitan adentrarte más profundamente en posibilidades diferentes en áreas como el dinero, las relaciones, los niños, las adicciones, los cuerpos, el duelo, el liderazgo y más.

Da la vuelta a la página hacia posibilidad distinta en: accessconsciousness.com/shop

Printed in the USA
CPSIA information can be obtained
at www.ICGtesting.com
LVHW050417231123
764668LV00043B/706